ココミル cocomiru

名古屋

再開発が進み高層ビルが立ち並ぶ名古屋駅周辺（P44）

デザイン都市・名古屋には伝統とモダンが息づいています

左から：魚正宗（P56）／オアシス21（P85）／コーヒーハウスかこ 花車本店（P33）

Hisaya-odori Park(P84)

上：gallery+cafe blanka(P52)／
下：名古屋市科学館(P87)

Candle shop
kinari(P92)

モノコト(P93)

レゴランド®・ジャパン・リゾート
(P114)

ニッポンを代表するデザイン都市・名古屋は、
昔「モノづくり」が盛んな土地でした。
先人の創意が根づいていることに気づくでしょう。

不朽園(P36)

トヨタ博物館(P65)

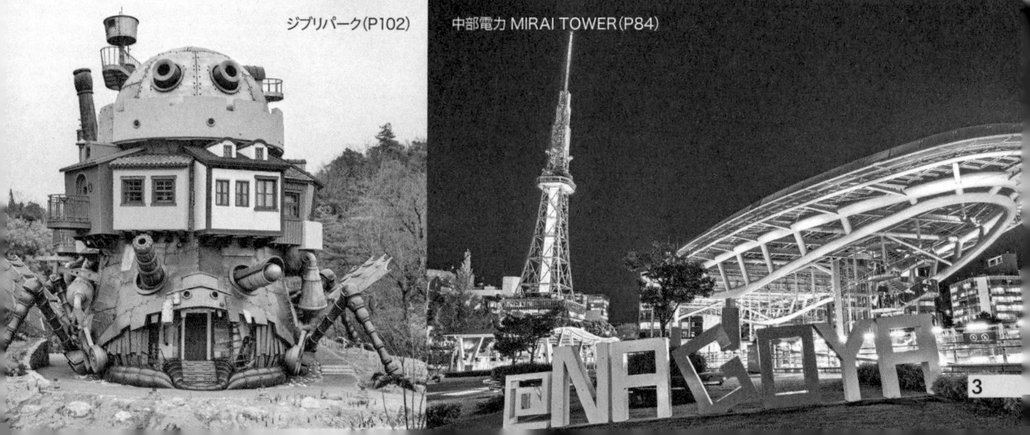

ジブリパーク(P102)

中部電力 MIRAI TOWER(P84)

名古屋城(P68)

徳川園(P74)

徳川美術館(P72)

名古屋に残る 歴史の足跡をたどる

尾張徳川家のお膝元。
400年の歴史が根づく歴史スポットです。

ni:no(P131)

徳川美術館(P72)

ni:no(P131)

名古屋市市政資料館(P76)

morrina
(P130)

おもだか屋
(P128)

今日実(P95)

レトロとモダンが混在するアートの世界

伝統工芸とアート作品。
名古屋にはおしゃれなアイテムが満載です。

井桁屋(P126)

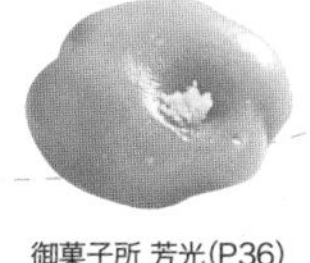
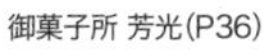
御菓子所 芳光(P36)

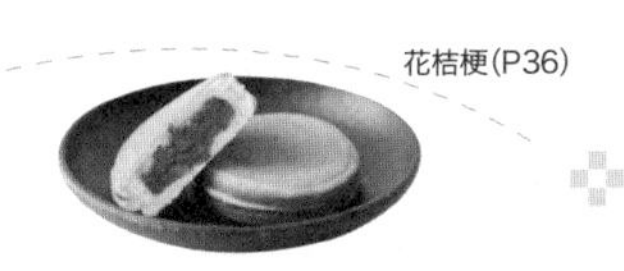
花桔梗(P36)

老舗和菓子店の銘菓に舌鼓

茶の湯が盛んな名古屋では
和菓子文化も花咲きました。

大黒屋本店(P37)

花桔梗(P36)

名古屋ってどんなところ?

関東や関西とも異なる独自の歴史&文化が魅力!

織田信長、豊臣秀吉、徳川家康の天下の三英傑を筆頭に、多くの有名武将の出身地が実は愛知県。名古屋には武将ゆかりの地が多く、「武将都市ナゴヤ」をテーマに歴史観光に力を入れている。また、名古屋独特の文化もユニークで、なかでも「なごやめし」は今や全国区の知名度だ。

名古屋のシンボル・名古屋城(☞P68)など、歴史スポットもたくさんある

どうやって行くの?

便数・早さなら新幹線、安く行くなら高速バス

東京・大阪からのアクセスは新幹線が便利。のぞみなら東京駅~名古屋駅は約1時間40分、新大阪駅~名古屋駅は約50分でアクセスできる。リーズナブル派には高速バスが人気。夜行バスなら東京~名古屋で5000円を切る便も。女性にうれしい全席レディスシートのバスも運行。

新幹線、私鉄、高速バスの起点となる名古屋駅

名古屋へ旅する前に知っておきたいこと

全国第4位の人口を有する政令指定都市・名古屋。
人気スポットや現地へのアクセス、名古屋文化からおみやげまで、
まずはサクッと名古屋を予習しましょう。

観光にどのくらいかかる?

市内の主要ポイントは 1泊2日あれば十分まわれる

名古屋は、名古屋駅周辺や栄、大須などに観光スポットがギュッと詰まったコンパクトな都市。地下鉄網が発達し、どこへ行くにもアクセスが便利なため、市内の主な観光ポイントなら1泊2日で十分見てまわれる。主要な観光施設をまわる観光ルートバス「メーグル(☞P138)」も活用したい。

大須商店街では、ブラブラと食べ歩きや買い物などを楽しみたい

おすすめのシーズンはいつ?

さわやかな春、趣ある秋 両シーズン楽しみたい

気候が穏やかな春と秋が特におすすめ。春は例年3月下旬〜4月上旬に名古屋城(☞P68)のソメイヨシノが満開に。秋には徳川園(☞P74)の紅葉が美しく、見頃となる11月下旬〜12月上旬は夜間ライトアップも催される。なお、夏はうだるような暑さのため対策を忘れずに。

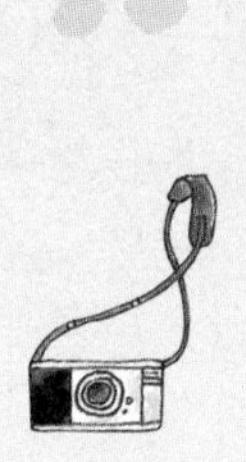

イロハモミジやヤマモミジが美しく色づく徳川園

名古屋タウン+もう1日観光なら

最寄り駅から歩いてまわれる 犬山や瀬戸、常滑へ

国宝犬山城がある犬山(☞P122)、日本六古窯にも数えられる焼物の街・瀬戸(☞P128)や常滑(☞P130)など、名古屋市郊外にも魅力的な街が多い。いずれも市内から電車で40分程度で、最寄り駅からも歩いてまわれる。また、名古屋市街地から少し離れた熱田神宮は半日あれば十分。

常滑のやきもの散歩道には、窯元やギャラリーが点在している

初めての名古屋で行きたい所は?

絶対見逃せない名古屋城とデザイン都市の象徴・栄

シャチホコが輝く名古屋のシンボル・名古屋城（☞P68）が観光の一番人気。徳川園（☞P74）、徳川美術館（☞P72）とともに、尾張徳川家ゆかりの歴史スポットは押さえておきたい。名古屋はユネスコが認定するデザイン都市。栄のオアシス２１（☞P85）やHisaya-odori Park（☞P84）なども必見。

名古屋城の金のシャチホコは雄と雌一対

尾張徳川家の貴重な大名道具群を収蔵する徳川美術館

中部電力 MIRAI TOWERから眺めるオアシス２１

味噌煮込みうどんは濃厚さと強いコシが特徴

ぜひ味わいたいのは?

個性的な「名古屋めし」を朝から晩まで味わって

俗に「名古屋めし」とよばれるグルメが有名。味噌カツ、味噌煮込みうどん、味噌おでんの味噌グルメを筆頭に、ひつまぶし、きしめん、手羽先、あんかけスパ、「えびふりゃ～」など、実に多彩なラインナップが揃う。味も濃厚、見た目もインパクト大で、やみつきになること間違いなし！

知っておきたい名古屋文化は？

喫茶店王国・名古屋の名物「モーニング」を体験して！

愛知は、都道府県別の喫茶店数が全国2位の喫茶店王国。そんな名古屋の喫茶を訪れたらぜひ味わいたいのはモーニング（☞P32）。朝、ドリンクを注文すると、多くの喫茶店でトーストやゆで卵が無料で付いてくるサービスだ。シロノワールで有名な名物喫茶の珈琲所コメダ珈琲店（☞P40）にも行ってみたい。

名古屋の朝はモーニングからスタート！

「スカイラウンジ ジーニス」(☞P59) から望む絶景

名古屋の夜はどう過ごす？

手羽先＆ビールで乾杯し、高層ビルのバーで夜景を満喫

食文化が発達した名古屋は居酒屋も充実。夜はピリ辛の手羽先（☞P18）やどて焼き（☞P30）、とんちゃん（☞P31）などをアテに、ビールで乾杯がおすすめ。お腹を満たした後は、名古屋駅周辺の高層ビルのバー（☞P58）に寄り、きらめく夜景を眺めながら贅沢なひとときを過ごしてみては？

おみやげは何がいい？

尾張名古屋の伝統が息づく和菓子で間違いなし！

尾張徳川家のお膝元として、茶の湯の和菓子文化が発達した名古屋。不老園正光（☞P37）や美濃忠（☞P37）など、江戸時代から続く老舗も多く、伝統の和菓子は老若男女を問わず手みやげに最適。一方で地元パティスリーによる洋菓子も人気で、味噌など名古屋らしい食材を用いたものも。

不老園正光の不老。今でも和菓子をひとつひとつ手作りする

1日目

出発〜！

10:00 名古屋駅

電車、高速バスともに、玄関口は名古屋駅。JR中央コンコースに観光案内所もあります。

まずはメーグル（☞P138）に乗って、名古屋の歴史探訪へ。1DAYチケット500円。

10:30 ノリタケの森

最初はノリタケの森（☞P65）。ここからトヨタ産業技術記念館へも歩いて行けます。

11:30 四間道（しけみち）

15分ほど散歩をして四間道（☞P60）へ。町家ショップをのぞきながら界隈を探検！

ちょっと休憩

堀川沿いのgallery+cafe blanka（☞P52）でランチ。手作りケーキもおいしい♪

ランチの後は腹ごなし。ここから名古屋城のお堀へと続く、堀川沿いを歩きましょう！

13:00 名古屋城

名古屋城（☞P68）に到着。天守閣に登れば気分は殿様。金のシャチホコにも注目！

14:30 徳川園

徳川家の宝物が！

メーグルで徳川園（☞P74）と徳川美術館（☞P72）へ。尾張徳川家の歴史に触れて♪

16:00 白壁エリア

お次は白壁・橦木町エリア（☞P76）へ。かつては尾張藩の武家屋敷が並ぶ界隈でした。

実業家・豊田佐吉やノリタケ創始者・森村市左衛門など、著名人の屋敷も見学♪

18:00 オアシス21

再びメーグルに乗って栄へ。シンボルのオアシス21（☞P85）で夜の街と光の共演を堪能。

夕ごはんは名古屋めし！ 味噌カツや味噌煮込みうどん、居酒屋で手羽先もおすすめです。

1泊2日で とっておきの名古屋の旅

名古屋をたっぷり楽しむモデルプランをご提案。
1日目は名古屋城をメインに歴史をたどる定番ルート。
翌日は、足を延ばして熱田神宮とリニア・鉄道館へ。

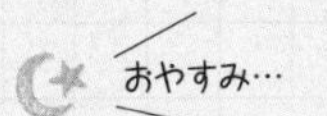

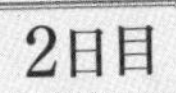

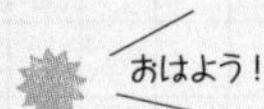

夜は長いです。夜景のキレイなバー（☞P58）や名駅近くの居酒屋（☞P56）へ。

21:00 ホテル

観光を充実させるなら、アクセスが便利で軒数も多い、名古屋駅〜栄駅の間のホテルが◎。

08:30 モーニング

名古屋の朝はモーニング（☞P32）で決まり！　コーヒー代だけなのにお腹も満足♪

09:30 名古屋市科学館

人気の名古屋市科学館（☞P87）へは、静かな午前中が狙い目。プラネタリウムは必見。

11:00 熱田神宮（あつたじんぐう）

熱田神宮（☞P108）へ参拝。年間650万人もの参拝客で賑わう熱田の杜を散策♪

境内にはきよめ餅やきしめんの店もあるので、神域でひと息つくのもおすすめです。

お腹がすいた〜

神宮近くにあるひつまぶしの老舗・あつた蓬莱軒（☞P20）でランチタイムを♪

13:30 リニア・鉄道館

さらにリニア・鉄道館（☞P112）まで足を延ばしましょう。マニアでなくても楽しめますよ。

15:30 スカイプロムナード

あおなみ線で名古屋駅へ戻り、名古屋一高い展望施設スカイプロムナード（☞P97）へ。

高〜い！

高さ220mから名古屋の街を見下ろしましょう。晴れていれば御嶽山までも一望！

16:30 名古屋駅

最後におみやげをゲット。名駅周辺（☞P38）にはみやげ店が充実していて便利です。

また来るね〜！

楽しかった旅もおしまい。名古屋駅周辺のテイクアウトグルメをお供に、帰宅の途へ。

せっかく遠くへ来たんですもの

3日目はひと足延ばしてみませんか？

焼物に興味のある人は

陶磁器のメッカ・愛知。"せともの"の瀬戸（☞P128）、常滑焼の常滑（☞P130）など、工房を訪ねながらお気に入りの器を探す旅も素敵な思い出に。

物語の世界観を体験したい人は

スタジオジブリ作品の世界を表現したジブリパーク（☞P102）へ行けば、大人も子供もワクワクすること間違いなし。魅力満載の5つのエリアを楽しんでみよう。

ココミル cocomiru

名古屋

Contents

旅のプロローグ

デザイン都市 名古屋には伝統とモダンが息づいています …2

名古屋へ旅する前に知っておきたいこと …6

1泊2日でとっておきの名古屋の旅 …10

まずはなんといっても「なごやめし」。「うみゃーもん」を食べ尽くしましょう

でらうまの「味噌カツ」 …16

本場の「手羽先」 …18

門外不出の「ひつまぶし」 …20

アツアツの「味噌煮込みうどん」 …22

名古屋伝統の味「きしめん」 …24

「個性派麺」バラエティ …26

「えびふりゃ〜」と「天むす」 …28

「どて焼き」と「とんちゃん」 …30

名古屋名物「モーニング」 …32

人気パティシエの「ナゴヤスイーツ」 …34

老舗和菓子店の銘菓 …36

名古屋みやげ …38

ふむふむコラム

地元でおなじみのコレな〜に？ …40

やっぱり街歩きが楽しいんです。めくるめくナゴヤワールドをご案内

名古屋ってこんなところ …42

名古屋駅周辺 …44

巨大ラビリンス・名駅地下街 …46

大名古屋ビルヂング／KITTE名古屋 …48

ビストロ＆トラットリアのランチ …50

スイーツ自慢の個性派カフェ …52

憧れの名店でディナー …54

駅近でほろ酔いハシゴ酒 …56

きらめく天空のバー＆カフェ …58

「四間道」界隈をのんびりおさんぽ …60

●表紙写真

カフェジャンシアーヌJR名古屋駅店(P39)のぴよりん、熱田神宮(P108)の結守、ジブリパーク(P102)の中央階段、山本屋本店 エスカ店(P22)の味噌煮込うどん、BUCYO COFFEE(P52)の小倉トースト(厚切り)、ふれあい広場の大須招き猫(P91)、三光稲荷神社(p123)のハート絵馬、Hisaya-odori Park(P84)、名古屋港水族館(P106)、名古屋城(P68)

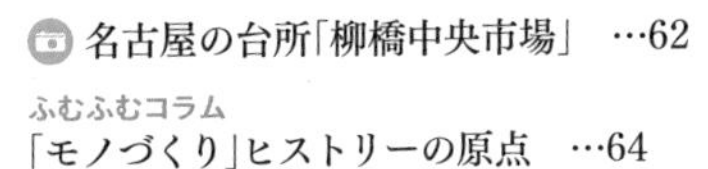

名古屋の台所「柳橋中央市場」 …62

ふむふむコラム
「モノづくり」ヒストリーの原点 …64

名古屋城・徳川園 …66

名古屋城 …68
本丸御殿／金シャチ横丁 …70
徳川美術館 …72
徳川園 …74
文化のみち・白壁エリア …76

ふむふむコラム
戦国時代を制した三英傑 …78

栄・大須 …80

Hisaya-odori Park …84
栄の3大ミュージアム …86
大人カフェ …88
下町・大須 …90
こだわりの手作りアイテム …92
大人セレクトのヴィンテージ …94

ココにも行きたい
名古屋駅周辺のおすすめスポット…96
ココにも行きたい
栄・大須のおすすめスポット…98
ココにも行きたい
名古屋近郊のおすすめスポット…100

名古屋に行ったらここは外せません！
必ず行きたい注目スポット

ジブリパーク …102
名古屋港水族館 …106
熱田神宮へ参拝 …108
レトロ×モダンな覚王山 …110
リニア・鉄道館 …112
レゴランド®・ジャパン・リゾート …114

旅の疲れは快適なホテルで癒やしましょう。
私にぴったりのホテル探し

ラグジュアリーなホテル …116
安らぎのホテル …118
シティホテル …120

まだまだみどころあります。
ひと足延ばしてディープな名古屋へ

歴史が息づく城下町・犬山へ …122
明治村でタイムトリップ …124
東海道の昔町・有松 …126
せともの街・瀬戸 …128
常滑で「Myうつわ」を …130
空の玄関口・セントレア …132

交通ガイド
名古屋へのアクセス …134
名古屋駅ナビ …137
名古屋でのアクセス …138

旅のエトセトラ
名古屋の知っておきたいことといろいろ …140

INDEX …142

〈マーク〉
観光みどころ・寺社
プレイスポット
レストラン・食事処
居酒屋・BAR
カフェ・喫茶
みやげ店・ショップ
宿泊施設
立ち寄り湯

〈DATAマーク〉
☎ 電話番号
住 住所
¥ 料金
開館・営業時間
休 休み
交 交通
P 駐車場
室 室数
MAP 地図位置

山本屋本店 エスカ店（☞P22）の
味噌煮込うどん

不老園正光（☞P37）の和葛～やわくず～と
お抹茶のセット

キッチン欧味（☞P28）の
ジャンボ＆ジャンボエビフライ

コンパル 大須本店（☞P32）のエビフライサンド

あつた蓬莱軒 神宮店（☞P20）のひつまぶし

島正（☞P30）のどて焼き

伍味酉 本店（☞P19）の
本家 手羽先の唐揚げ

シェ・シバタ名古屋（☞P34）の
クー デ ボワ

まずはなんといっても「なごやめし」。「うみゃーもん」を食べ尽くしましょう

「なごやめし」といえば、味噌カツ、味噌煮込みうどんなど味噌味が有名ですが、それだけではないんです。手羽先にひつまぶし、きしめん、えびふりゃ～と食べ切れないほどの「うみゃーもん」が揃ってます。

矢場とん 矢場町本店（☞P16）の
わらじとんかつ定食

平打ち麺 㐂しや（☞P25）のきしめん白

甘い味噌とサクサクとんかつでらうまの「味噌カツ」

濃厚な見た目とは裏腹に、意外とあっさりとした味噌ダレ。
ご飯にもビールにも合う、まさに名古屋グルメの王道です。

わらじとんかつ定食 1900円

通常のロースとんかつの約2倍のサイズ。味噌ダレもたっぷりかかり、これぞ名古屋の味わい

大須

やばとん やばちょうほんてん

矢場とん 矢場町本店

みそかつを全国に知らしめた名店

昭和22年(1947)創業。1年半熟成させた天然醸造の豆味噌を使用して作る味噌ダレは、見かけによらずあっさり仕立てで、初体験の人も食べやすいと評判。まずはその名のとおりビッグなわらじとんかつを。

☎052-252-8810 住名古屋市中区大須3-6-18 ⏰11～21時 休無休 交地下鉄矢場町駅4番出口から徒歩5分 P8台 MAP付録P10D1

1階のカウンター席。ランチ時は行列ができるほど

矢場とんのおいしさをお持ち帰り

01 みそだれ50g×4パック600円。野菜炒めやおでんに使ってもおいしい

02 矢場とんカレー200g500円。まろやかな味わいの矢場とんオリジナルポークカレー

03 豚肉しぐれ煮180g900円。ご飯はもちろん、お酒にもぴったり

04 煮豚(バラ)1400円 こくのある脂身がジューシー

名古屋では定番！味噌調味料「つけてみそかけてみそ」

マヨネーズ型容器に入ったコクのある豆みそベースの味噌ダレ。おでんやとんかつはもちろん、たこ焼・お好み焼など、かけるだけであら不思議！ どんな料理も名古屋の味に。市内のほとんどのスーパーやコンビニで売っています。定価387円。
☎052-501-6211(ナカモ株式会社)

今池

やきとんかつのみせ たいら

焼とんかつの店 たいら

少量の油で焼き上げるヘルシーな味噌カツ

パン粉をつけて鉄板で焼き上げる“焼とんかつ”の店。肉のうま味が閉じ込められ、ジューシーでとてもやわらかい。どて煮風の味噌ダレもうま味濃厚。

☎052-731-4555 住名古屋市千種区今池5-8-9 🕒11時30分～14時LO、18時～21時30分LO 休日曜夜、月曜 交地下鉄今池駅4番出口から徒歩3分 Pなし MAP付録P4D3

小上がりとカウンター席がある

豚のスジが入ったどて煮風の味噌ダレが合う。+150円で味噌味、+40円でねぎトッピング

特上リブロース焼きとんかつ定食1800円（土・日曜は1950円、+150円で味噌味、+50円でねぎトッピング）

鶴舞

とんかつのとんぱち

とんかつのとん八

甘くやさしく深い味噌のハーモニー

黒っぽく照り輝く味噌ダレは、見た目とは裏腹の上品な甘さがふわり。衣の食感とジューシーな肉の厚さも絶妙で、味噌との相性はいわずもがな。

☎052-331-0546 住名古屋市中区千代田3-17-15 🕒11時～13時45分LO、17時～20時20分LO（火・木曜、祝日はランチのみ）休日曜 交地下鉄鶴舞駅6番出口から徒歩3分 P契約駐車場あり(30分サービス券用意) MAP付録P10F4

たっぷりの味噌ダレの下に、やわらかいヒレかつが2枚。味噌ヒレかつ丼1250円も人気

味噌ヒレかつ定食1550円

昭和58年（1983）から、この場所で営業している

栄

あじどころ かのう

味処 叶

味噌と卵が絡み合う元祖の味

昭和24年（1949）創業で、元祖味噌カツ丼が名物。こってり濃口の味噌ダレながら、深みのある甘みでペロリといける。卵を絡めればまろやか度もアップ。

☎052-241-3471 住名古屋市中区栄3-4-110 🕒11～14時、17～20時（売り切れ次第終了）休月・火曜（詳細は公式サイト参照）交地下鉄栄駅クリスタル広場7番出口から徒歩3分 Pなし MAP付録P8D3

年季を感じさせる独特の雰囲気

味噌カツ丼の元祖がこの一杯。希望する人には「味噌ダレ多め」にも対応してくれる

元祖味噌カツ丼1800円

味噌カツは昭和20年代初頭に、ある屋台の味噌鍋に客が串カツをドボンとつけて食べたのが始まりなのだとか。

甘辛タレがクセになります 本場の「手羽先」とビールをグビリ！

数十年前には見向きもされなかった手羽先が、今では名古屋の名物に。
骨までしっかりしゃぶり尽くし、おいしさを骨の髄まで召し上がれ！

みそ串カツ330円

栄
せかいのやまちゃん ほんてん

世界の山ちゃん 本店

お酒のお供にピッタリ

辛さと風味が際立つ幻のコショウが特徴の「幻の手羽先」が山ちゃんの看板商品。クセになる辛さとカリッとした皮の食感にビールが進むこと間違いなし。幻の手羽先にみそ串カツなどが付いた、お得な持ち帰り限定セット2000円～も好評。

☎052-242-1342 住名古屋市中区栄4-9-6 ⏰16時～23時15分（日曜15時～、土曜15時～24時15分）休無休 交地下鉄栄駅12番出口から徒歩5分 Pなし MAP付録P8F3

イメージキャラクターの鳥男が目印

一般的な食べ方でいただきます

①L型の手羽先はポキリと身を折る
②L型以外は関節部分をへし折る
③2本の骨をもち左右に引き裂く
④1本ずつしゃぶりつき、身をこそぐ
⑤骨に付いた肉や小さい身もかじろう

縁起のよい
金と銀の手羽先を
食べ比べて！

良質な食材を使った創作名古屋めしが評判の「創作名古屋めし まかまか本店」の手羽先には、スパイシーな醤油味の「金」と、さっぱりとした塩ダレの「銀」という、縁起のよい2種類の味がある。1本270円。
☎052-249-5526 MAP付録P9C4

名古屋駅

ふうらいぼう えすかてん

風来坊 エスカ店

元祖の味は秘伝のタレが決め手

手羽先を考案した元祖がこの店。風来坊初のランチ営業をするエスカ店では、お昼は手羽先のタレで味付けした唐揚げをご飯にのせた風来坊丼1080円が好評。昼間から手羽先をアテにビールをあおるのもアリ？ 発祥の味をどうぞ。

☎052-459-5007 住名古屋市中村区椿町6-9先 エスカ地下街内 🕒11～22時(21時30分LO、ランチは～14時) 休エスカに準ずる 交名古屋駅太閤通口から徒歩1分 Pエスカ295台(30分320円) MAP付録P7B2

元祖手羽先唐揚げ（1人前5本）630円

もう一皿

ターザン焼き 1320円

店頭で手羽先の販売も

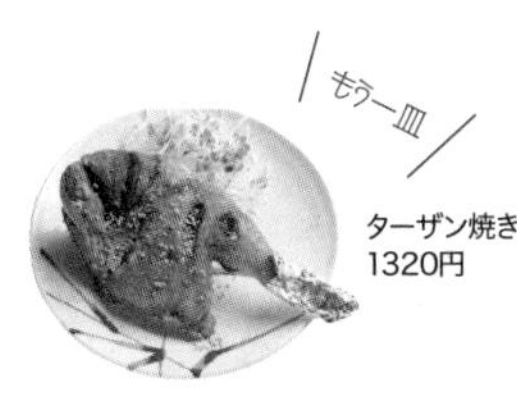

栄

ごみとり ほんてん

伍味酉 本店

名古屋名物が揃う老舗居酒屋

民芸調の店内で、名古屋グルメと地酒が楽しめる。手羽先は肉厚&大ぶりなのが売りで、名古屋コーチンの手羽先もあり、ぜひ食べ比べを。八丁味噌の味噌串カツ200円やシメの味噌きしめん980円、名古屋コーチン卵のプリン550円まで、メニューは幅広い。

☎052-241-0041 住名古屋市中区栄3-9-13 🕒17時～午前5時 休無休 交地下鉄栄駅8番出口から徒歩3分 Pなし MAP付録P9C3

本家 手羽先の唐揚げ（1人前3本）540円

もう一皿

名古屋名物鰻のひつまぶし2280円

昭和31年(1956)創業のレトロな店。子ども連れにも人気

名古屋駅

とりかい そうほんけ めいえきにしぐちてん

鳥開 総本家 名駅西口店

河村市長お墨付きの手羽先！

こだわりの鶏料理が味わえる店。名古屋コーチン手羽先唐揚げは、「からあげグランプリ」手羽先部門で2010～12年の3年連続最高金賞を受賞！名古屋コーチンを秘伝のタレとオリジナルの塩をつけて味わおう。

☎052-452-3737 住名古屋市中村区則武1-7-5 🕒17～23時(22時LO) 休日曜 交名古屋駅太閤通口から徒歩3分 Pなし MAP付録P7A2

名古屋コーチン手羽先唐揚げ（2本）540円

もう一皿

炭火串打ち焼き300円～

ぬくもりのある空間で舌鼓

間違えて大量に仕入れた手羽先をなんとかしようと、風来坊の大坪会長が考案したのが名古屋名物の手羽先です。

一度に3つの味が楽しめます 門外不出の「ひつまぶし」

3種類の違ったおいしさを一度に楽しめるから、食いしん坊も大満足。
ひつまぶしは、名古屋人のとっておきのごちそうなんです。

正しい食べ方教えます

①お櫃のご飯をしゃもじで4等分に

②1膳目はそのまま、タレの味を楽しむ

③2膳目はネギなど、薬味と一緒に

④3膳目はお茶漬け。最後はお好みで

伝馬町

あつたほうらいけん じんぐうてん

あつた蓬莱軒 神宮店

極上ひつまぶしを召し上がれ

明治6年（1873）創業。ひつまぶしを全国に広めたパイオニア的存在で、連日行列の人気店。一族のみが配合を知るという、創業以来継ぎ足して使うタレが蓬莱軒の味を生み出している。関西流に、蒸さずに焼く香ばしいウナギによく合う。

☎052-682-5598 住名古屋市熱田区神宮2-10-26 ⏰11時30分～14時30分LO、16時30分～20時30分LO 休火曜、第2・4月曜（祝日の場合は営業、振替あり） 交地下鉄熱田神宮伝馬町駅1番出口から徒歩3分 P50台 MAP P109

《メニュー》
ひつまぶし　4600円
鰻丼（上）※4切れ　3800円
お刺身定食　2700円～

熱田神宮の近くにある。テーブル席が中心だが、授乳室やオムツ替えシートなど、子ども用設備も充実

こちらも

ふんわりやさしいだし巻き玉子のうまき1050円

名物ひつまぶし。絶妙の焼き加減で秘伝のタレにくぐらせる
※ひつまぶしはあつた蓬莱軒の登録商標です

愛知県は ひつまぶし効果で ウナギの一大産地

日本養鰻漁業協の2020年の調査によると、国内ウナギ生産量は鹿児島に次ぎ愛知が第2位（ちなみにウナギの名産地・静岡は第4位）！愛知の生産量の多さと名古屋のひつまぶしが相乗効果で名物になっています。

栄

いばしょう
いば昇

ウナギ本来の味が引き立つ

1909年創業。九州産ウナギを使用し、一匹一匹炭火で丁寧に焼き上げる。3代目が考案したという櫃（ひつ）まぶし。コクのある甘さ控えめのタレが素材のうま味を引き立てる。

☎052-951-1166 住名古屋市中区錦3-13-22 🕒11時～14時30分LO、16～20時LO 休日曜、第2・3月曜 交地下鉄栄駅1番出口から徒歩3分 Pなし MAP付録P8D2

人気の櫃まぶし。3杯目はさっぱり煎茶で

《メニュー》
櫃まぶし　3750円（吸い物付き+250円）
長膳（並）※蒲焼5切れ＋ご飯・吸い物・漬物3700円

こちらも

ウナギ4切れの丼（並）2810円

現在は6代目がのれんを守る

伏見

みやかぎ
宮鍵

食通に愛されるウナギとかしわ

明治32年(1899)の創業、池波正太郎も足繁く通ったという名店。季節により産地を厳選するという上質なウナギを使う。コクのある濃厚なタレが秀逸。

☎052-541-0760 住名古屋市中村区名駅南1-2-13 🕒11時30分～14時LO、17時～21時40分(21時LO) 休土曜、第4水曜(第1～3・5水曜は不定休) 交地下鉄伏見駅7番出口から徒歩7分 P契約駐車場あり MAP付録P6E3

櫃まぶし。タレは濃厚でコクがある

《メニュー》
櫃まぶし（薬味付き）　4730円
うなぎ丼（4切れ）　3680円
味噌すき（かしわ）　4500円

こちらも

三河赤鶏の挽肉の親子丼720円も名物

風格漂う店構え

浄心

うなぎ・わしょく しらかわ じょうしんほんてん
うなぎ・和食 しら河 浄心本店

上質なウナギをリーズナブルに

ほどよく脂ののった肉厚ウナギを厳選。秘伝のタレを使って外はパリッ、中はふんわりと焼き上げ、特選米のご飯の上に敷き詰める。シメは薄味だしをベースにした吸茶の茶漬けでサラリと。

☎052-524-1415 住名古屋市西区城西4-20-12 🕒11時～14時30分LO、17～21時LO 休木曜 交地下鉄浄心駅2番出口から徒歩2分 P25台 MAP付録P13A1

肉厚ウナギの脂やうま味を存分に味わえる、ボリューム満点のひつまぶし

《メニュー》
ひつまぶし　3100円
ミニひつまぶし　2160円
しら河ミニ会席　5500円

こちらも

なぞの天ぷら770円。中身は食べてみてのお楽しみ

名古屋城界隈に位置する

ひつまぶしとは、お櫃に入れたご飯にウナギを刻んでまぶすところから名付けられたそうです。

アツアツの「味噌煮込みうどん」、麺のコシの強さに驚きです

真夏でも汗だくになって、煮えたぎる鍋をフーフーと食べる。
味噌煮込みうどんは、まさに名古屋人のソウルヌードルなんです。

味噌煮込うどん　1518円

麺
最大の特徴は水と小麦だけで打つ硬いうどん。打ち粉に米粉を使っている

味噌煮込みとは？

豆味噌にだしを加えたツユで、うどんを生の状態から直接煮込む。麺はコシが強く、初めて食べた人のなかには「生煮え?」と驚く人も。濃厚なツユはご飯との相性もいい。

具
かしわ、卵、揚げ、ネギが一般的。途中で卵をくずしマイルドにするのがツウ

土鍋
遠赤効果と保水性に優れた伊賀土を使用したオリジナルの土鍋がアツアツをキープ！

味噌
豆味噌特有の渋みを和らげるため、白味噌を独自にブレンドしている

エスカにはおみやげ専門の直売店もあるのでお持ち帰りも

名古屋駅

やまもとやほんてん えすかてん

山本屋本店 エスカ店

自慢のあじ味噌が生むハーモニー

3年間醸造させた赤味噌と白味噌にザラメを混ぜて、大釜で炊いた"あじ味噌"が独自のコクとうま味を生み出す。厳選した小麦と真水で打つうどんも絶品。

☎052-452-1889 住名古屋市中村区椿町6-9先 エスカ地下街 L10時～21時30分LO 休エスカに準ずる 交名古屋駅太閤通口から徒歩1分 Pエスカ295台（30分330円。3000円以上で1時間無料）MAP付録P7B2

正しい食べ方教えます

取り皿は使わず、土鍋の蓋に取って食べるのが名古屋流。そのため、味噌煮込みの土鍋の蓋には空気穴が開いていない

味噌煮込みうどんのカップ麺をおみやげに！

おみやげにするなら、軽くて日持ちがするカップの「みそ煮込うどん」はいかが？　市内のスーパーやコンビニなどで販売しています。
寿がきや食品 ☎0120-730261

川名
まことや
まことや

さっぱり食せる味噌にこみが人気

昭和42年(1967)の創業以来、メニューはうどん一筋。なかでもみそ煮込みうどんは、手打ち特有の不揃いでモチモチな麺とさっぱりとした味噌ツユが合う。大きなエビ天がのると、うま味がアップ！☎052-841-8677 住名古屋市昭和区檀渓通4-14 ⏰11時～20時30分（20時15分LO）休金曜 交地下鉄川名駅3番出口から徒歩12分 P13台 MAP付録P4E4

ミシュランプレートにも選ばれた名店

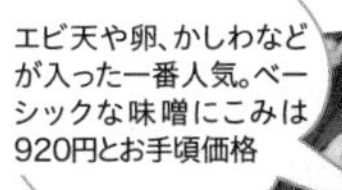

エビ天や卵、かしわなどが入った一番人気。ベーシックな味噌にこみは920円とお手頃価格

親子味噌えび　1520円

栄
みそにこみのかどまる
みそ煮込みの角丸

すっきり味噌とモチモチ麺が角丸流

大正15年（1926）創業の老舗。店主が打つ細めの角打ち麺はほどよい硬さでモチモチとした食感。赤と白の味噌を独自ブレンドし、深みのある味わいに。

☎052-971-2068 住名古屋市東区泉1-18-33 ⏰11～15時、17～19時（夜は不定休）休日曜、祝日 交地下鉄久屋大通駅1B番出口から徒歩3分 Pなし MAP付録P8F1

赤味噌のクセがなく、初めての人も食べやすいと観光客にも評判

みそ煮込　940円～

90年以上続き、現在は3代目

大須
にこみのたから
にこみのたから

秘伝のブレンド味噌が味の決め手

細打ちのコシの強いうどんを使った味噌煮込み。創業以来変わらない、昔懐かしい八丁味噌をベースにしたマイルドな味わいにファンも多い。

☎052-231-5523 住名古屋市中区大須2-16-17 ⏰11時30分～15時、17～19時 休木曜（祝日、18・28日の場合は水曜休）交地下鉄大須観音駅2番出口から徒歩5分 Pなし MAP付録P11B2

昭和39年（1964）に創業した、大須の名店

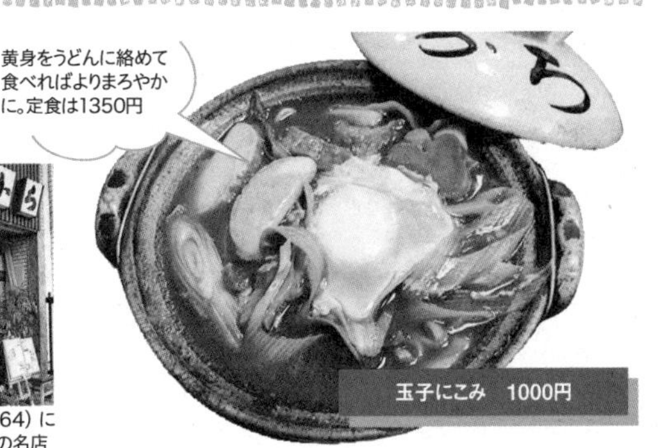
黄身をうどんに絡めて食べればよりまろやかに。定食は1350円

玉子にこみ　1000円

新名古屋グルメとして、「カレー煮込みうどん」も売り出し中！　みそ煮込みの角丸などで食べられます。

つるっとしたのど越しが自慢！名古屋伝統の味「きしめん」

うどんでもそばでもなく、名古屋で麺といえば、やっぱり「きしめん」。平打ち麺にお揚げ、ホウレンソウ、花かつおをのせるのが定番です。

きしめんとは？

うどんを一反木綿のようにペラッと平らにした麺で、のど越しのよさが特徴。歴史は古く、江戸時代の三河国芋川（現・刈谷市）で作られたものが元祖という説が有力。

しめん880円
ムロ節のうま味たっぷりのツユに、艶やかでモチモチした麺が好相性

名古屋駅

きしめんのよしだ えすかてん

きしめんのよしだ エスカ店

伝統ある製麺所の直営店

創業以来130余年、きしめんを作り続ける製麺所の直営店。小泉元首相も食べたというきしめんは、毎朝工場から直送され、小麦と塩のみで練られた麺は、コシ、のど越しともに絶妙。

☎052-452-2875 住名古屋市中村区椿町6-9先 エスカ地下街 🕒11～15時、17～20時（金～日曜、祝日は～20時30分）休エスカに準ずる 交名古屋駅太閤通口から徒歩1分 Pエスカ295台（30分330円。3000円以上で1時間無料）MAP付録P7B2

もう一杯

八宝 1100円
隠し味のゴマ油が食欲をそそる中華風きしめん。野菜もたっぷり！

落ち着いた和の雰囲気の店内

名古屋駅

おおすのきしめん

大須のきしめん

もっちり麺とコクのあるツユが絶品

名古屋のソウルフード、きしめんを立ち食いでいただけるお店。愛知県産小麦「きぬあかり」を使ったもっちりとしたきしめんと、東海地方ならではの「さば節」と「むろあじ節」を使ったコクのあるだし汁を使用し、より名古屋らしいきしめんを味わえる。

☎052-551-3316 住名古屋市中村区名駅4-7-25 名駅地下街サンロード内 🕒10時～19時30分 休サンロード地下街に準ずる 交地下鉄名古屋駅南改札口からすぐ Pなし MAP付録P7C3

唐揚げおろしきしめん 780円
自慢のきしめんに大きな唐揚げと大根おろしをのせ、ボリューム満点

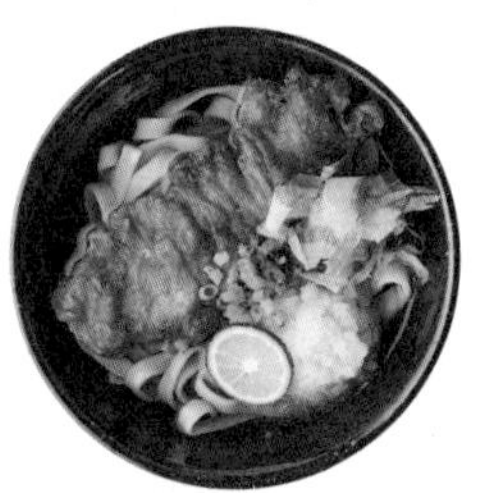

もう一杯

台湾きしめん
790円
紹興酒をベースにしたスープを使用し、特製の旨辛台湾ミンチをたっぷりとのせた、名古屋名物の出合いから生まれた一品

清潔な店内は女性一人でも気軽に入りやすい

きしめん普及委員会のきしめんMAPで食べ歩きも

平成20年（2008）に愛知県きしめん普及委員会が発足し、400年以上もの歴史があるきしめんを広くPR中。公式サイトではきしめんミニ検定に挑戦できるほか、便利なきしめんMAPも入手可能。kishimen.jp/

高岳

かわいや

川井屋

手打ち一筋のモッチリきしめん

大正10年（1921）創業の老舗で、純手打ち麺一筋にこだわり続ける。麺は日々の天候により水や塩加減を調整して打ち、ひと晩寝かせたきしめんは、驚くほどコシとツヤがあり、モチモチとしている。10～5月の期間限定で味噌煮込み990円も登場する。

☎052-931-0474 住名古屋市東区飯田町31 ⏰11～14時、17～20時（19時20分LO、売り切れ次第閉店）休日曜、祝日 交地下鉄高岳駅2番出口から徒歩15分 P12台 MAP付録P12D3

えびおろし　1540円
甘めのツユに大根おろし&プリプリのエビが合う。冷製で通年提供

もう一杯

五目きしめん 1050円
東海地方独特の白醤油を使ったあっさりツユが特徴。野菜たっぷりで栄養も満点

民芸調の店内は雰囲気満点

名古屋駅

なだいきしめん すみよし しんかんせんのぼりほーむてん

名代きしめん 住よし 新幹線上りホーム店

立ち食いでサクッと駅きしめん

「早い・安い・うまい」の三拍子揃ったきしめんは、名古屋を訪れたら必ず食べるという出張族や旅行者も多い。卵やかき揚げ、エビ天、山菜など、トッピングのバリエーションも多彩に揃う。新幹線下りホームや在来線のホームにも店がある。

☎052-452-0871（ジャパン・トラベル・サーヴィス）住名古屋市中村区名駅JR名古屋駅内 ⏰6時30分～21時40分（21時30分LO）※年末年始変動あり 休無休 交名古屋駅新幹線上りホーム Pなし MAP付録P7B2

きしめん　400円
ムロアジや鯖節などでしっかり取られただし。夏期は+50円で冷やしも

もう一杯

かき揚げきしめん 630円
エビ、タマネギ、ニンジンなどのかき揚げがのって、ボリュームもたっぷり

名古屋駅の名物でもある

池下

ひらうちめん きしや

平打ち麺 㐂しや

味わい深い澄んだスープ

本枯節を使用しただしにこだわった麺料理が楽しめる。看板のきしめん白は、自家製コブ塩とカツオで、驚くほど澄んだコクのあるスープを使用。奥三河若鶏を使用した鳥料理もおすすめで、お酒と一緒に楽しめる。

☎052-752-7114 住名古屋市千種区仲田2-17-7 池下タワーズ1階 ⏰11～14時LO、17時30分～21時LO 休水曜 交地下鉄池下駅1番出口から徒歩5分 Pなし MAP付録P4D3

きしめん白　900円
カツオの一番だしに鶏ガラのかえし、手製のコブ塩のスープが秀逸

もう一杯

カレーラーメン 990円
きしめんと並ぶ人気のラーメン。客の要望から生まれた一杯

ジャズが流れるオシャレな店

名古屋では冷たい「かけ」を「ころ」といいます。暑い日は「きしめんをころで」と注文すると冷たい麺が供されますよ。

麺好きにはたまりません！「個性派麺」バラエティ

昔懐かしの鉄板スパからみんなが大好きなカレーうどんまで、麺レパートリーを制すれば、立派な名古屋人の仲間入りです。

栄

すぱげってぃ・はうす よこい すみよしほんてん

スパゲッティ・ハウス ヨコイ 住吉本店

1週間熟成させたソースが自慢

野菜や牛ひき肉、トマトなどを煮込んだ濃密ソースと直径2.2㎜の超極太スパ。スパイシー加減がクセになる。

☎052-241-5571 住名古屋市中区栄3-10-11 サントウビル2階 ⏰11時～14時30分LO、17時～20時30分LO(火・日曜、祝日はランチのみ) 休月曜 交地下鉄栄駅8番出口から徒歩5分 Pなし MAP付録P9C3

あんかけスパ

極太スパに、トロ～リとしたスパイシーなあんがかかったスパゲッティ

ミラカン　1100円

赤ウインナーやベーコン、ピーマン、タマネギなどをトッピングした元祖あんかけスパ。定番&一番人気のメニューだ

今や名古屋を代表する有名店に

黒川

ほんてん しゃちのや

本店 鯱乃家

粘度のある旨辛ルーがおいしい

大釜でゆで上げる自家製の極太うどんは、コシが強くモッチリ。カレー粉と2種類のだしをブレンドした特製のルーはスパイシーで、とろりと麺に絡みつく。

☎052-915-8156 住名古屋市北区田幡2-14-1 ⏰11～14時、17時30分～21時(日曜、祝日18時～)※第3月曜は11～14時のみ(祝日の場合は11～14時、18～21時)、なくなり次第終了 休木曜 交地下鉄黒川駅1番出口から徒歩1分 Pなし MAP付録P5C1

カレーうどん

カレーにとろみを加えるのが名古屋流。麺によく絡んで、汁が飛び散りにくい

カレーうどん　750円

一味をかけて辛さをプラスしながら食べるのがツウ。細麺の絹カレー800円もある

カウンター席のみが並んだ店内

もうひとつの
名古屋名物に挑戦！
「喫茶マウンテン」

激甘、激辛、激ボリュームの超絶メニューの有名店。甘口いちごスパ（冬期限定）1200円、甘口抹茶小倉スパ1200円（写真）をはじめ、超個性的メニューが勢揃い！
☎052-832-0897 MAP付録P4F4

台湾ラーメン

台湾の担仔（タンツー）麺を味仙の主人がアレンジしたものが名古屋の名物に

台湾ラーメン　750円

飲んだ後のシメに食べるのもおすすめ。「アメリカンで」と注文すれば、辛さ控えめにしてくれる

台湾ラーメンの発祥店といわれる

今池

ちゅうごくたいわんりょうり みせん いまいけほんてん

中国台湾料理 味仙 今池本店

刺激的な辛さがクセになる

とうがらしとにんにくで味つけしたひき肉がラーメンの上にどっさり。鶏ガラベースのスープに辛さが溶け込み、麺をすすればガツンと強烈な激辛が襲いくる。ほかにも本場の台湾料理などが楽しめる。

☎052-733-7670 住名古屋市千種区今池1-12-10 🕒17時～午前1時（24時30分LO）休無休 交地下鉄今池駅9番出口から徒歩3分 P4台 MAP付録P12F4

鉄板スパ

店主がイタリアの鉄板ステーキから考案した、名古屋喫茶の定番

イタリアンスパゲティ　650円

ケチャップ味のスパに半熟卵を絡めながらハフハフ

車道

きっさゆき

喫茶ユキ

どこか懐かしいレトロメニュー

アツアツ鉄板で運ばれてくるイタリアンスパは、ケチャップ味のスパと半熟卵が絶妙。ハンバーグをトッピングすると850円。

☎052-935-1653 住名古屋市東区葵3-2-30 🕒10時30分～15時LO 休金・土曜 交地下鉄車道駅4番出口から徒歩3分 Pなし MAP付録P12E4

スガキヤラーメン

名古屋発祥のラーメンチェーン。子どものころから食べている名古屋人のソウルヌードル！

ラーメン　490円

具はチャーシュー、メンマ、ネギとシンプルそのもの

栄

すがきや せんとらるぱーくてん

スガキヤ セントラルパーク店

名古屋人なら知らぬ人はいない!?

昭和21年(1946)のスガキヤ誕生以来、親しまれてきた和風豚骨スープのラーメン。ラーメンの後に甘味を楽しむのが王道。

☎080-6993-9528 住名古屋市中区錦3-15-13 セントラルパーク地下1階 🕒10時30分～21時LO（日曜、祝日は20時LO）休無休 交地下鉄久屋大通駅3番出口からすぐ Pなし MAP付録P8E2

甘党メニュー人気No.1のソフトクリーム

スガキヤのラーメンフォークは、MoMAのコレクションショップの人気商品！ 通販などで購入できます。

名古屋人はどっちも好きなんです「えびふりゃ〜」と「天むす」

食欲をそそるビジュアルで、噛むとプリッとした食感で甘くて香ばしい。名古屋を代表する二大エビ料理は、どちらも必食です。

えびふりゃ〜

タモリさんの「えびふりゃ〜」発言で一躍全国的に有名になったエビフライ。金シャチに似た姿も名古屋人に親しまれる理由？

名古屋駅

えびどてしょくどう

海老どて食堂

長さ約35㎝の特大サイズ

名物特大海老ふりゃ〜に城盛り定食といった多彩なエビグルメが豊富に揃う。赤味噌×エビ味噌の特製ソースにエビフライをつけて食べる海老どて串盛り定食も人気。

☎052-459-5517 住名古屋市中村区椿町6-9先エスカ地下街 ◷11時〜21時30分(20時30分LO) 休エスカ休業日に準ずる 交名古屋駅太閤通口から徒歩1分 Pエスカ295台（30分330円。3000円以上で1時間無料）MAP付録P7B3

名古屋駅地下街エスカにある有名店

特大海老ふりゃ〜定食
長さ35㎝の天然エビがどーんと皿にのった特大海老ふりゃ〜でエビのうま味を堪能

吹上

きっちんおうみ

キッチン欧味

エビの超豪華ツインタワー

長さ約30㎝の天然ブラックタイガーのエビフライ2尾がドーン！タルタルソースがエビの甘みを引き立てる。

洋風家庭料理の店

☎052-734-0345 住名古屋市千種区千種1-9-23 千種ビル1階 ◷11〜15時LO、17〜21時LO 休月曜（祝日の場合は翌日）交地下鉄吹上駅6番出口から徒歩7分 P6台 MAP付録P4D3

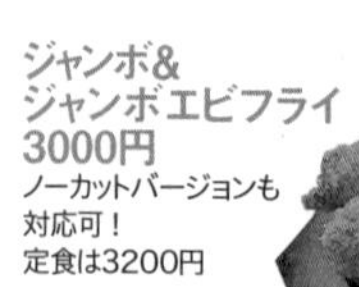

ジャンボ&ジャンボエビフライ 3000円
ノーカットバージョンも対応可！
定食は3200円

国際センター

はねえび

はね海老

1匹+0.5匹で1フライに！

背開きにしたエビに半身のエビを継ぎ足し、1.5本でひとつのフライにするのがこの店流。コロッケやとんかつなど2種のフライの盛合せがおすすめ。

円頓寺で60余年続く洋食店

☎052-551-1671 住名古屋市西区那古野1-20-37 ◷11時30分〜14時 休日曜 交地下鉄国際センター駅2番出口から徒歩7分 Pなし MAP付録P13A3

盛合せエビフライ・コロッケ　800円
カニコロッケもエビフライもソースなしでもおいしい。ご飯、赤だし付き。日替りランチ800円、定食950円も人気

えびせんべいの生産日本一は愛知県！

豊富なエビ漁獲量から、愛知県はえびせんべいの生産量が全国一。なかでも「坂角総本舗」(☎0120-758104)のゆかり(8枚入り)691円は、名古屋みやげの定番です。各百貨店やキヨスクなどでも取り扱っています。

天むす

塩味を利かせたエビの天ぷらを具にしたおにぎり。まかない料理が始まりといわれ、付け合わせはきゃらぶきが定番。

大須

めいふつてんむす せんじゅほんてん

めいふつ天むす 千寿本店

エビ天とご飯が絶妙のおむすび

天然の小エビを使ったエビ天を、モッチリした北陸産コシヒカリでふんわりと握る。これを伊勢湾産のパリッとした海苔で包めば完成。エビの甘みと塩気がご飯にピッタリ合う。

☎052-262-0466 住名古屋市中区大須4-10-82 ⏰8時30分～18時（なくなり次第終了）休火・水曜 交地下鉄上前津駅12番出口から徒歩3分 Pなし MAP付録P10D2

天むす（5個） 810円（テイクアウト）
ホロリと崩れるご飯の握り具合が絶妙。冷めてもおいしいのでおみやげにも。イートインは825円

12～14時はイートインもできる！

車道

じらいやほんてん

地雷也 本店

しっかり味のエビ天がおいしい

口の中でホロッと崩れるふんわりご飯の中から現れるエビ天。醤油味ベースの衣に潜ませたこしょうが、ほどよいアクセントになっている。

☎052-979-2341 住名古屋市東区徳川1-739 ⏰9～17時（16時LO）休不定休 交地下鉄車道駅1番出口から徒歩20分 P2台 MAP付録P12E2

本店は持ち帰りの専門店

天むす（5個） 821円
米そのものや炊き加減にもこだわりが

愛知県はクルマエビの漁獲量が全国トップクラス。クルマエビは県の魚にも認定されています。

屋台生まれのオツな味「どて焼き」と「とんちゃん」

名古屋の夜のお目当ての一つに、屋台で生まれた名物があります。味噌ベースのどて焼きととんちゃんを、一杯のお酒とともに。

どて焼き

名古屋でどて焼きといえば、大根や牛スジ、卵、こんにゃくなどを味噌で煮込んだ味噌おでんのこと。甘辛い味噌が芯まで染み込んで濃厚な味！

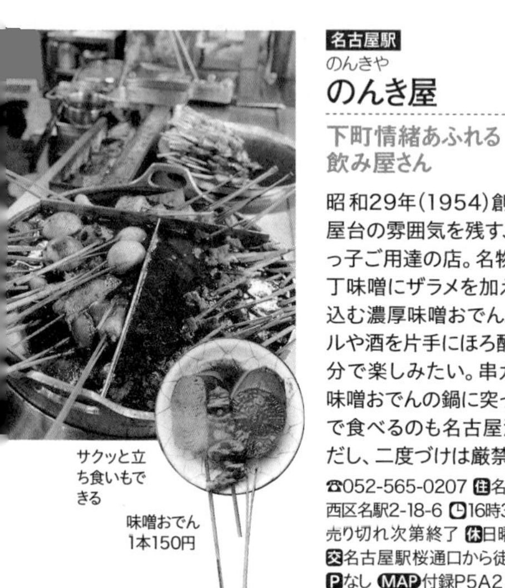

サクッと立ち食いもできる

味噌おでん1本150円

名古屋駅

のんきや

のんき屋

下町情緒あふれる飲み屋さん

昭和29年(1954)創業。屋台の雰囲気を残す、地元っ子ご用達の店。名物は八丁味噌にザラメを加えて煮込む濃厚味噌おでん。ビールや酒を片手にほろ酔い気分で楽しみたい。串カツを味噌おでんの鍋に突っ込んで食べるのも名古屋流。ただし、二度づけは厳禁！

☎052-565-0207 住名古屋市西区名駅2-18-6 時16時30分～売り切れ次第終了 休日曜、祝日 交名古屋駅桜通口から徒歩5分 Pなし MAP付録P5A2

どて焼き1本165円～。名物の大根330円は1人1本限定

池下

あたりやほんてん

當り屋本店

懐かしい屋台の味を守り続ける老舗

戦後まもなく屋台からスタートした串物専門店。メニューはおよそ50種類あり、名物味噌おでんはもちろん、どて焼き（牛モツ煮込み）2本352円も味わいたい。

☎052-761-7033 住名古屋市千種区向陽1-12-29 時17時～22時30分(22時LO) 休日曜、祝日(土曜日が祝日の場合は営業) 交地下鉄池下駅1番出口から徒歩5分 Pなし MAP付録P4E2

味噌おでん1本121円～

店内にはレトロな雰囲気が漂う

伏見

しましょう

島正

丁寧な仕込みで味が染みわたる

10日間かけて仕込む大根をはじめ、手間ひまをかけ、タネの芯まで染みわたる八丁味噌ベースのどて焼き。どてめしとオムレツが合体したオムライス880円もぜひ。

☎052-231-5977 住名古屋市中区栄2-1-19 時17～22時 休土・日曜、祝日 交地下鉄伏見駅4番出口から徒歩3分 Pなし MAP付録P9B3

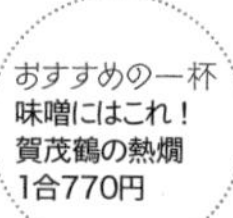

おすすめの一杯
味噌にはこれ！賀茂鶴の熱燗1合770円

屋台のころの味を守る昭和24年(1949)創業の老舗

「島正」のどて焼きと
ふわとろ卵の
オムライス

じっくり煮込んだ牛スジのどて焼きをご飯にかけたどてめしに、ふわふわのオムレツがのったオムライス880円。濃厚で甘いタレが卵やご飯によく絡み、まろやかな味わいが地元っ子に評判です。

とんちゃん

赤味噌ベースの濃厚タレで味付けした豚のホルモン＝とんちゃん。濃厚な味噌風味なのにビタミンや鉄分、コラーゲンが豊富なヘルシーメニュー。

ビールと一緒に食べたいとんちゃん300円

大須

とんちゃんや ふじ

とんちゃんや ふじ

下町大須・秘伝の味噌とんちゃん

おすすめの一杯
香ばしいとんちゃんには冷えた生ビール550円を！

大須で40年続いたとんちゃんの名店「岡ちゃん」の味を受け継ぐ店がここ。香ばしい匂いと煙に包まれながら、とんちゃんを網で焼きつつパクリ。好みでとうがらしをつけてもおいしい。

☎052-231-6547 住名古屋市中区大須2-29-27 ⏰16時50分～21時20分LO 休月～金曜 交地下鉄大須観音駅2番出口から徒歩3分 Pなし MAP付録P11B2

週末は行列のできる人気店。開店直後を狙って訪ねたい

今池

やぶやいまいけほんてん

やぶ屋今池本店

名古屋庶民の味方！人気の居酒屋チェーン

炭火の七輪で焼き、モウモウとした煙に包まれて食べるとんちゃんが名物。八丁味噌を使った秘伝のタレで味付けしたとんちゃんは、独特の食感と脂の甘みが◎。

☎052-731-5828 住名古屋市千種区今池5-10-11 ⏰24時間 休無休 交地下鉄今池駅8番出口からすぐ Pなし MAP付録P12F4

愛知、グアムに数店舗を展開する

定番の味噌のほか、塩やたまりしょうがとんちゃんもある

瑞穂区役所

みなと

美奈登

地元民御用達のとんちゃん屋

昭和32年（1957）創業の名店。とんちゃんをはじめ、カルビやサガリなど、濃厚な味噌ダレで味わう肉はいずれもお得感たっぷり。七輪＆炭火でモクモク炙りながらほおばろう。服に臭いがついてもご愛敬♪

☎052-872-2022 住名古屋市瑞穂区平郷町2-6 ⏰16時30分～21時30分LO(料理がなくなり次第終了) 休月曜、第3火曜 交地下鉄瑞穂区役所駅4番出口から徒歩20分 P5台 MAP付録P3B3

七輪＆炭火で煙モクモク！ 雰囲気たっぷり

とんちゃん1人前330円

どて焼きをご飯にのせた「どてめし」も、名古屋のおでん屋さんの定番です。飲んだシメにおひとついかが？

昭和レトロな純喫茶で名古屋名物「モーニング」を

今や全国的に知られるようになった名古屋のモーニングサービス。
旅の朝のお目覚めには、純喫茶でおいしい朝食をいただきましょう。

大須

こんぱる おおすほんてん

コンパル 大須本店

コーヒー&サンドにこだわり

味が濃くて深みのあるオリジナルブレンドコーヒーが自慢の一品。アイスコーヒー480円は、濃縮抽出したホットを氷の入ったグラスに客自身で注ぐ独特のスタイル。各種サンドイッチもおいしい。

☎052-241-3883 住名古屋市中区大須3-20-19 ⏰8～19時 休元日 交地下鉄上前津駅8番出口から徒歩5分 Pなし MAP付録P11C2

昭和23年(1948)から大須で営業

ハム&卵&キャベツをサンド。コーヒー480円

エビフライサンド1100円も名物

《朝MENU》
モーニング 8～11時
＜ドリンク+ハムエッグトースト＞
ドリンク代+150円

大須

りおんかしてん

リオン菓子店

パリを感じるモーニングを楽しむ

行列のできる人気店「Cafe de Lyon」の4号店。モーニングは、フランスバターを使ったパリッ&モッチリの朝焼きクロワッサンがお店のイチ押し。フランスの伝統的な焼き菓子やスイーツを食後に満喫するのもいい。

☎052-291-4554 住名古屋市中区大須2-14-3 ⏰9～18時(17時30分LO) 休火曜 交地下鉄大須観音駅2番出口から徒歩5分 Pなし MAP付録P11B2

大須観音から歩いてすぐの場所にある

《朝MENU》
モーニング 9時～11時30分
＜パリの朝ごはんセット＞
ドリンク代(リオンブレンド638円～)+858円

終日注文OKの「モーニング喫茶リヨン」へ

ドリンク代のみで一日中モーニングが楽しめるフルタイムモーニングの人気店。小倉あんプレスサンド、野菜サラダプレスサンドなど、モーニングは全6種から選べる。コーヒーは480円。
☎052-551-3865 MAP付録P6D3

国際センター

こーひーはうすかこ　はなぐるまほんてん

コーヒーハウスかこ 花車本店

SNS映え間違いなしのトースト

フルーツコンフィチュール、クリームチーズ、生クリーム、あんこなどを+400円で厚切りトーストに盛り付けるプレミアムセットが話題。柳橋店のあんジャムやランチもおすすめ。

☎052-586-0239 住名古屋市中村区名駅5-16-17 花車ビル南館1階 ⌚7～17時（16時30分LO） 休無休 交地下鉄国際センター駅3番出口から徒歩2分 Pなし MAP付録P6E2

自家焙煎コーヒーのいい香りが広がる店内

《朝MENU》
モーニング　7～11時
<シャンティールージュスペシャル>
ドリンク代（ブレンドコーヒー600円）+400円

名古屋駅

かふぇよしの めいえきてん

カフェヨシノ 名駅店

なごやめし三昧なモーニングを味わう

名古屋市郊外を中心に展開する喫茶チェーン。朝からなごやめしを味わえる和食モーニングは名駅店限定。ドリンクのみでトースト&ゆで卵やサラダセット+350円もある。

☎052-583-8600 住名古屋市中村区名駅3-17-21 名鉄イン名古屋桜通1階 ⌚6時30分～14時（13時30分LO） 休無休 交名古屋駅桜通口から徒歩5分 Pなし MAP付録P6D1

夜は焼き鳥やどて焼きが楽しめる居酒屋を営業

《朝MENU》
モーニング　6時30分～11時
<和食モーニング>
ドリンク代（ブレンドコーヒー480円～）+550円

今や全国にある漫画喫茶も、名古屋の喫茶店サービスの一環として、とある店がマンガを陳列したのが始まりだとか。

丹精をこめた人気パティシエの甘美な「ナゴヤスイーツ」

スイーツに魅せられたパティシエたちが提供する名古屋のパティスリー。
女子たちを虜にする職人の味を、お店で、ご自宅で召し上がれ。

クー デ ボワ
580円
中央のベリーのジュレが甘酸っぱく、さっぱりした仕上がり【A】

ビジュー・ド・ビスキュイ プティ プルミエ
3186円
パティシエ田中千尋氏こだわりのクッキー缶。定番のクッキーやカラフルでフォルムがかわいらしいマカロンラスクなどをオリジナル缶に詰めて【B】

モンブラン
729円
濃厚ながら口どけの軽い仏産マロンクリームが美味。9月中旬～5月中旬の限定販売【B】

ヴィジタンティーヌ
1個238円
しっとり生地から香る焦がしバターとアーモンドが絶妙な風味のスペシャリテ【A】

タルト・オ・フリュイ ルージュ
1188円
ラズベリー・ブルーベリー・イチゴのうま味がぎゅっと詰まった、甘酸っぱくさわやかなタルト【B】

パリ・ブレスト
中12cm 3780円
サクサクのシュー皮に絶品のプラリネクリームがベストマッチのフランスの代表菓子。ホールのサイズは4種類【C】

覚王山
しぇ・しばた なごや
シェ・シバタ名古屋【A】

☎052-762-0007 住名古屋市千種区山門町2-54 🕒10～19時 休火曜、不定休あり 交地下鉄覚王山駅1番出口から徒歩2分 P契約駐車場あり MAP付録P4E3

上飯田
かふぇ たなかほんてん
CAFÉ TANAKA本店【B】

☎052-912-6664 住名古屋市北区上飯田西町2-11-2 🕒ショップ10時～18時30分、カフェ9時30分～17時LO（土・日曜、祝日8時30分～）休無休 交地下鉄上飯田駅3番出口から徒歩2分 P25台 MAP付録P3B2

本山
ぷらす お それいゆ
PLACE au SOLEIL【C】

☎052-788-2144 住名古屋市千種区稲舟通1-38 コーポラス本山1階 🕒10～18時 休月・火曜（イベント時は変更あり）交地下鉄本山駅4番出口から徒歩1分 P提携駐車場あり MAP付録P4F3

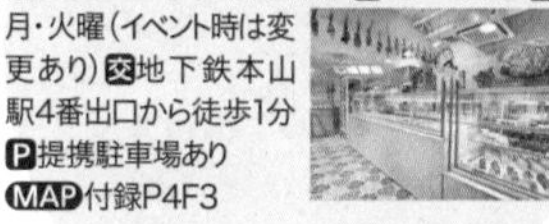

辻口博啓氏の「フォルテシモ アッシュ」が人気です

世界的に活躍する石川県出身のパティシエ・辻口博啓氏の名古屋ブランド「フォルテシモ アッシュ」。メープルバウムクーヘン2100円など、季節により名古屋限定商品も揃っています。
☎052-761-7278 MAP付録P4E2

ショコラ
10g180円～
ボンボンなどショコラはおみやげにぴったり【F】

ドームショコラ
550円
なめらかチョコムースとサクサクのクランチチョコ。2つの食感が楽しい【D】

ダック・ワーズ
1個210円
アーモンド風味の生地でクリームをサンド。しっとり食感がクセになるおいしさ【D】

マカロン
各216円
愛らしいマカロン。カシス、ショコラ、キャラメルなど全6種【E】

ピストゥ
626円
ピスタチオムースなど、4層の味と食感を楽しんで【E】

レニエの中津川モンブラン
700円
厳選した栗を使用。和栗そのものの味が楽しめる一番人気スイーツ【F】

バーム758
Sサイズ1350円～
名古屋人好みの味を追求した、米粉のしっとりバーム758(ナゴヤ)【F】

大須
がとー・でゅら・めーる・すりあん
ガトー・デュラ・メール・スリアン【D】
☎052-332-2477 住名古屋市中区橘1-4-12 ⏰10時30分～18時30分(イートインは～18時LO) 休月曜(祝日の場合は営業)、第4日曜 交地下鉄大須観音駅2番出口から徒歩8分 P4台 MAP付録P11B3

東別院
ぱていすりー あずゅーる
Pâtisserie AZUR【E】
☎052-339-4151 住名古屋市中区伊勢山1-11-7 ⏰11～19時 休日・月曜 交地下鉄東別院駅3番出口から徒歩7分 Pなし MAP付録P5B4

小田井
れにえ ぐらんめぞん
レニエ グランメゾン【F】
☎052-502-0288 住名古屋市西区五才美18-2 ⏰9時30分～19時 休月・火曜 交地下鉄小田井駅2番出口から徒歩8分 P20台 MAP付録P3B1

CAFÉ TANAKAは本店のほか、ジェイアール名古屋タカシマヤ、稲沢市にも店舗があります。

伝統の味わいにうっとり、老舗和菓子店の銘菓の数々

尾張徳川家時代、文化・文政期には名古屋で茶の湯が大流行。
茶道とともに花開いた和菓子文化を味わいに行きましょう。

こちらも！

琥珀糖
1箱24個1350円

寒天と砂糖で作る錦玉を成形。外はシャリシャリ、中はやさしい甘さのゼリーのよう

花どら
230円
賞味期限14日

桜山
はなききょう
花桔梗

和の伝統と美しさを現代の意匠で蘇らせる

尾張徳川家ご用達の和菓子店「桔梗屋」の技術を受け継ぐ由緒ある店。名店の和菓子の味を再現し、伝統を守るとともに、洋菓子の手法やフルーツを用いたモダンな和菓子も意欲的に創作している。店内には抹茶と一緒にいただけるイートインスペースも。

☎052-841-1150 住名古屋市瑞穂区汐路町1-20 ⌚10～19時 休無休 交地下鉄桜山駅4番出口から徒歩12分 P10台 MAP付録P3C3

こちらも！

不朽最中
(小)119円(大)184円

賞味期限は6日間。オーブントースターでさっと加熱すると、皮がパリッとしてさらにおいしい

鬼まんじゅう
1個152円

金山
ふきゅうえん
不朽園

餡と最中種の絶妙なハーモニーを

昭和2年(1927)創業。昔ながらの変わらぬ手法で炊いた餡を餅米100%の最中種(皮)ではさんだ最中が有名。定番商品は菊をモチーフにした「不朽最中」で、大と小の2種類を用意している。ほかに、生菓子195円～や鬼まんじゅうもファンが多い。

☎052-321-4671 住名古屋市中川区尾頭橋3-4-8 ⌚7～19時 休水曜 交JR金山総合駅から徒歩13分 P8台 MAP付録 P5B4

こちらも！

わらび餅
1個330円

こし餡をわらび餅で包み、きな粉をまぶしてある。10～6月限定。購入は予約が確実

季節の生菓子
1個340円～

森下
おかしどころ よしみつ
御菓子所 芳光

口の中でさらりと溶ける季節限定のわらび餅を

美味求心をモットーに、毎日早朝から作る京菓子舗。試行錯誤を重ね、とろけるなめらかさを生み出した「わらび餅」や、つぶ餡がたっぷり入った羽二重餅340円が看板商品。日持ちしないため店頭販売のみだが、曜日限定で市内百貨店でも購入できる。

☎052-931-4432 住名古屋市東区新出来1-9-1 ⌚9時～17時30分 休日曜、第3月曜 交名鉄森下駅から徒歩13分 P4台 MAP付録P12E2
※地方発送は不可

庶民の和おやつ！「梅花堂」の名物 鬼まんじゅう

名古屋っ子が子どものころから親しんでいる鬼まんじゅう。サツマイモ、小麦粉、砂糖だけで作られ、特に「梅花堂」が有名。昼には売り切れることも多く、予約をするのが確実。1個180円。
☎052-751-8025 MAP付録P4E3

こちらも！

上り羊羹
1棹2484円
なめらかな舌ざわりと上品な甘さの蒸しようかん。徳川家の献上菓子で、9月下旬～5月上旬のみ販売

初かつを
1棹2484円
(2月上旬～5月下旬限定)

丸の内
みのちゅう
美濃忠

170年の伝統を受け継ぐ名古屋の棹物の代名詞

尾張藩御用菓子店「桔梗屋」の流れをくむ、棹物（細長く製した和菓子）の名店。国内産小豆にこだわり、独自の製法を守り続けている。なかでも献上菓子であった「上り羊羹」と「初かつを」はこの店の代表銘菓。もちろん彩り豊かな季節の上生菓子もある。

☎052-231-3904(代) 住名古屋市中区丸の内1-5-31 ⏰9～18時 休無休 交地下鉄丸の内駅8番出口から徒歩5分 P3台 MAP付録P13A3

こちらも！

和葛～やわくず～とお抹茶のセット
950円
吉野本葛や牛乳、生クリームで仕上げた和風プリン。定番は5種類で、写真は大納言小豆

不老
1個230円
(箱入りは6個1700円)

東別院
ふろうえんまさみつ
不老園正光

産地や品質にこだわり、心が込もった手作り和菓子

嘉永元年（1848）に味醂店から和菓子店に形を変えて創業。素材の産地や品質にこだわり、今でも和菓子をひとつひとつ手作りする。名物は吉野本葛を用いたミルクプリン和葛。また季節の移り変わりとともに種類が変わる生菓子も常時5～6種類用意。

☎052-321-4031 住名古屋市中区古渡町11-32 ⏰9～18時（日曜は～16時） 休水曜 交地下鉄東別院駅から徒歩7分 P提携駐車場利用 MAP付録P5B4

こちらも！

くず切りセット
950円
吉野本葛を使用したくずきりは、のど越しさわやか。沖縄・多良間島産の黒糖で作る自家製の黒蜜をつけてどうぞ

生落雁 加加阿
9個入り1320円

栄
だいこくやほんてん
大黒屋本店

注文ごとに作る甘味と伝統の生落雁を堪能

落雁の専門店として安政元年（1854）に創業。上製落雁菓子の元祖ともいわれる名店で、ホロっと溶ける大黒や加加阿といった生落雁が有名。喫茶では、透明感のある作りたてのくずきりや、手作りの白玉が入ったぜんざいを味わえる。

☎052-971-2873 住名古屋市中区錦3-19-7 ⏰10～20時（19時30分LO） 休日曜、祝日 交地下鉄栄駅1番出口から徒歩4分 Pなし MAP付録P9C2

尾張藩の茶道は信長の弟・有楽斎が始めた武家好みの有楽流が主流。有楽斎は家康と同年で、徳川の出世を助けました。

旅の最後にまとめ買い！
駅ビルのとっておき名古屋みやげ

観光に夢中でおみやげを買う時間がなくなっても大丈夫！
駅ビルには定番みやげから個性派みやげまで、勢揃いしています。

ういろ

見た目もキュート
進化系ういろ

「大須ういろ」のウイロバー
5本入り756円

抹茶味やさくら味など5つのういろをアイスキャンデーのようにバーに差した商品❶❷

創業160年老舗
和菓子店の名物

「雀おどり總本店」の伝統製法の一口ういろ
5個入り601円

創業当時と変わらぬ製法を守るういろ。素材の風味や持ち味を大切にし、一枚一枚をせいろに流し込み蒸し上げている❶❷❸

こだわり素材が
おいしさの秘密

「虎屋ういろ」の小倉ういろ
1本 600円

厳選した材料を使い、昔ながらの手法で、丁寧に手作りしている伊勢地方の銘菓。防腐剤を使用しないため日持ちに注意❸❹

えびせん

キラキラ輝く
名古屋限定の黄金缶

「坂角総本舗」のゆかり黄金缶
10枚入り918円

1枚の7割に天然エビを使用し、エビの濃厚な味わいを閉じ込めた贅沢なせんべい。城と武将が描かれた缶は名古屋地区限定❶❷❸❹

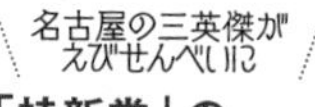

名古屋の三英傑が
えびせんべいに

「桂新堂」の海老武将
6袋入り897円

名古屋の三英傑「織田信長」「豊臣秀吉」「徳川家康」としゃちほこを描いたかわいい絵柄のえびせんべい。12袋入り1620円も❶❷❸❹

からりと揚げた
えびせんべい！

「桂新堂」の名古屋えび天
10袋入り1188円

えびせんべいをからりと揚げたサクサクの食感は、一度食べたら止まらない味❶❷❸

※ 料金やパッケージは2024年6月現在のものです。

コチラで買えます

❶グランドキヨスク名古屋 ☎052-562-6151 🕒6時15分～22時 休無休
❷ギフトキヨスク名古屋 ☎052-562-6151 🕒7～22時 休無休
❸ジェイアール名古屋タカシマヤ ☎052-566-1101(代表) 🕒10～20時 休不定休
❹名鉄百貨店本店 ☎052-585-1111 🕒10～20時 休不定休
❺カフェジャンシアーヌJR名古屋駅店 ☎052-533-6001 🕒7～22時(21時30分LO) 休無休

小倉スイーツ

レトロパッケージに入った名古屋の味

「青柳総本家」の青柳 小倉サンド

5個入り972円

上質な小倉餡とクリームをクッキーにサンドした焼き菓子。職人がひとつひとつ手作りする。小倉トースト好きの土地柄が生んだみやげ❶❷

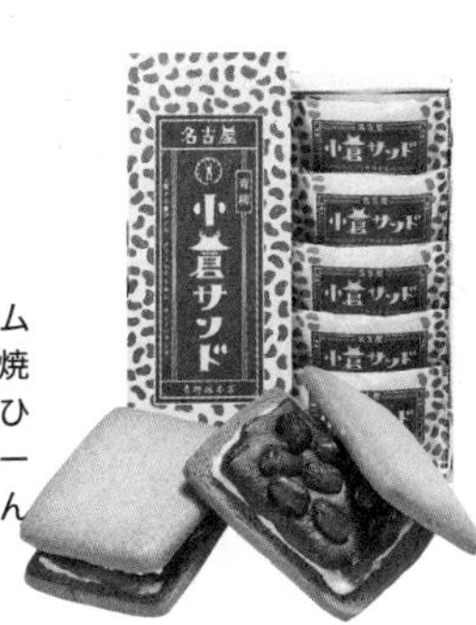

小倉トーストがさくさくラスクに！

「レニエ ビアンヴニュ」のオグラスク

5枚入り601円

名古屋の喫茶店では定番の小倉トーストがラスクになった。サクッとした食感で、甘さ控えめなので誰でも楽しめる❸❹

名古屋名物がクッキーに変身！

「東海寿」の小倉トーストラングドシャ

10枚入り1050円

小倉餡を練り込んだチョコレートとマーガリン風味の薄焼きクッキーがマッチ。こく深い味わい❶❷❸

まだある！はずれなしの人気お菓子!!

名古屋限定のヒヨコ型スイーツ！

「カフェジャンシアーヌ」JR名古屋駅店のぴよりん

1個 420円（テイクアウト価格）

名古屋コーチンの卵を使用したプリンをぷるぷるのババロアで包んだ、ヒヨコの形のおいしくかわいいスイーツ❺

キュートな見た目と素朴な味わい

「青柳総本家」のカエルまんじゅう

6個入り864円

にっこり笑うカエルは青柳総本家のロゴマークがモチーフ。こし餡をやわらかい生地で包んだ素朴な味わい❶❷❸❹

甘じょっぱい味がやみつきに！

「ヴィラジュニシムラ」の金の献上 信長のえびしょっぱい

12枚入り1134円

エビの風味と甘さとしょっぱさがミックスした味わい、パイのようなサクサクとした食感が後を引くおいしさ❶❷

餅とクリームをはさんだダックワーズが美味！

「名古屋フランス」の名古屋ふらんす

10個入り1350円

18年連続でモンドセレクション金賞を受賞した定番菓子。ショコラクリームと抹茶クリームの味わいが1箱に❶❷

知っていれば名古屋ツウ！地元でおなじみのコレな〜に？

今や全国的に知られるようになった名古屋発祥の店。有名チェーン店のルーツを探ってみましょう。

Q1 もとは甘味処だったというラーメン店は？

Q2 名古屋の街角で目にするこの子は誰？

Q3 MoMAも認めたこのカトラリーは？

Q4 今や全国区。名古屋生まれの喫茶店は？

Q5 〝名古屋の定番スイーツ〟といえば？

A1 スガキヤ →P27

名古屋でおなじみのラーメン店。創業は昭和21年（1946）に甘味処として始まったが、客の要望によりラーメンがメニューに加わったとか。ラーメンの後にぜんざいやソフトクリームなどの甘味を楽しむのが、生粋の名古屋っ子スタイル。

A2 スーちゃん

昭和33年(1958)に誕生したスガキヤのキャラクター。ちなみに飲食店のスーちゃんは両手にラーメンとソフトクリームを持っているが、即席麺などを販売する「寿がきや食品」のスーちゃんは四角い窓から中をのぞき込んでいる。

A3 スガキヤのラーメンフォーク

昭和53年（1978）にスガキヤで開発されたラーメンフォーク。現在のラーメンフォークは食べやすさとデザインを進化させたもので、ニューヨークのMoMAも認めて商品化（2750円）された。割り箸に代わるエコ商品としても注目。

A4 珈琲所コメダ珈琲店

全国に1004以上の店舗を展開する名古屋発祥の喫茶チェーン店、コメダ珈琲店。お店のロゴは創業当時、デザインを勉強していた常連の学生さんが作ったものだとか。ちなみに、「コメダ」という店名は創業者の実家がお米屋さんだったことから名付けられたという。

A5 シロノワール

コメダ珈琲店の名を全国に広めた名物スイーツ。温かいデニッシュの上に冷たいソフトクリームをのせ、シロップをかけていただく。2～3人でシェアするのがおすすめの通常サイズと食後に最適なミニサイズがある。有名人にもファンが。

【名駅ユニモール店】P47ユニモール参照。

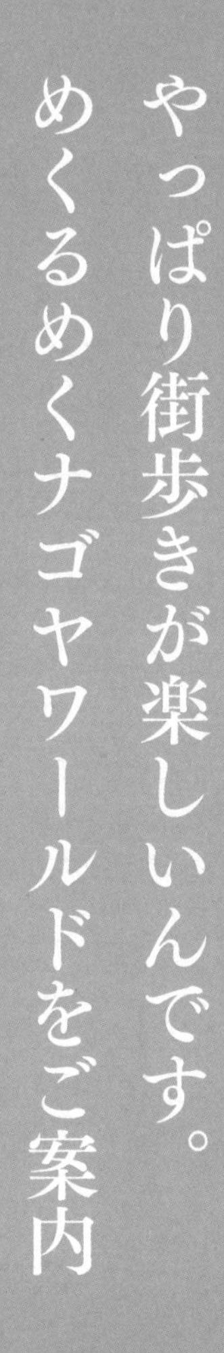

やっぱり街歩きが楽しいんです。
めくるめくナゴヤワールドをご案内

高層ビルが立ち並ぶ賑やかな名古屋駅周辺、歴史スポットが目白押しの名古屋城や徳川園、ショッピングや美術館巡りが楽しい栄・大須エリア。名古屋には歩きたくなる街がたくさんあります。

名古屋ってこんなところ

主要観光エリアの特徴や位置関係を把握して旅のダンドリを事前に考えておきましょう！

観光のみどころは3つのエリア＋α

名古屋観光でキーとなるエリアは、①名古屋駅周辺、②名古屋城・徳川園、③栄・大須の3エリア。主なみどころやレストランなどはここに集まっている。また、交通や宿泊の拠点にもなるので位置関係や地下鉄の最寄り駅を把握しておくと便利だ。覚王山(かくおうざん)や熱田神宮(あつたじんぐう)まで足を延ばしても。

観光の前に情報集め

名古屋駅の中央コンコースにある名古屋駅観光案内所では旅の情報が得られる。

問合せ 名古屋駅観光案内所 ☎052-541-4301
問合せ オアシス21iセンター ☎052-963-5252
問合せ 金山観光案内所 ☎052-323-0161

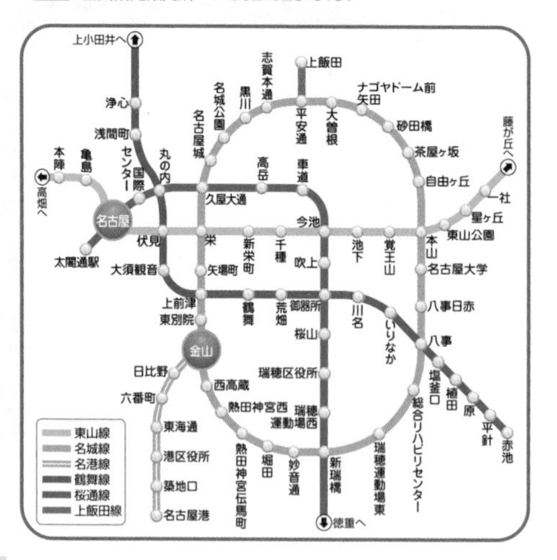

名古屋駅周辺(なごやえきしゅうへん) 1

・・・P44

名古屋の玄関口・名古屋駅は、地元では名駅（めいえき）ともよばれる。周辺は高層ビルが立ち並び、都会的な景観で注目ショップも多いが、少し歩くと江戸風情の昔町・四間道(しけみち)もある。

おすすめPoint
名駅地下街…P46
四間道さんぽ…P60

▶名古屋駅の地下には広大な地下街が広がる。ランチやディナーの時間帯に寄るもよし、帰りにおみやげを買うにも便利

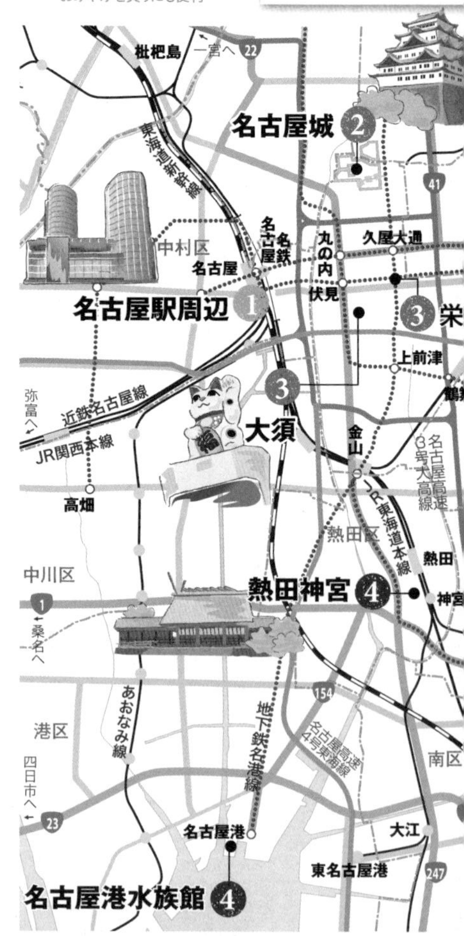

▲ツインタワーが出迎える名古屋の玄関口。駅周辺はホテルやレストランも多く、観光拠点となる

▶白壁の土蔵が立ち並ぶ四間道。江戸を思わせる町並みが続き、かつての名古屋の風景が見られる

なごやじょう・とくがわえん

2 名古屋城・徳川園

・・・P66

金のシャチホコが輝く名古屋城は、名古屋ナンバーワンの観光名所。武家屋敷地区の白壁エリアをさんぽして、尾張徳川家ゆかりの徳川園や徳川美術館にも訪れよう。

おすすめPoint
名古屋城…P68
徳川園…P74
白壁エリアさんぽ…P76

▲名古屋に来たならぜひ行きたい名古屋城。桜の季節もおすすめ。天守閣の復元作業も進行中

▶池泉回遊式庭園の徳川園や、大名道具を収蔵する徳川美術館で尾張徳川家と日本の伝統美を体感

▲オアシス21と中部電力MIRAI TOWERがランドマークの栄。デパートやブランドショップが集まる情報の発信地だ

▶約1km四方にわたり店がひしめく名古屋最大級の商店街・大須。新旧が混在し、刺激的な街

さかえ・おおす

3 栄・大須

・・・P80

栄はデパートやブランドショップ、飲食店などが集まる名古屋の繁華街。大須は大須観音の門前町で、老舗や若者向けのショップ、電機街などが混在した独特のエリア。

おすすめPoint
3大ミュージアム…P86
下町・大須さんぽ…P90

4 注目スポット

・・・P101

名古屋駅から電車や地下鉄で5〜30分ほど移動すれば、周辺にもみどころがたくさんある。歴史が息づく熱田神宮、日泰寺(にったいじ)やクリエイター系のショップが集まる覚王山などもおすすめ。

▲名古屋市の南部に広がる熱田の杜と、神聖な熱田神宮を訪れて、凛とした空気を感じよう

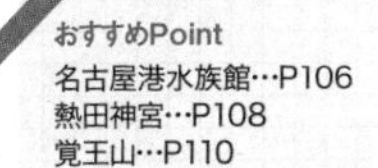

おすすめPoint
名古屋港水族館…P106
熱田神宮…P108
覚王山…P110

▶日泰寺参道沿いにレトロ&モダンな店が軒を連ねる覚王山。クリエイター系の個性派ショップも多い

▲ベイエリアにある名古屋港水族館。メインプールでのイルカパフォーマンスは必見！

これしよう！

スイーツで
ほっこりひと休み

ゆっくりできる癒やしのカフェ空間で、旅の計画をおさらいして（☞P52）。

これしよう！

予約で押さえて
人気店でランチ

"名古屋嬢"御用達のビストロ&トラットリアで人気ランチを堪能（☞P50）。

これしよう！

高層ビルから
絶景を堪能！

駅周辺の高層ビルに上がれば、名古屋市街の絶景が眼下に広がる（☞P58）。

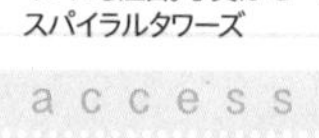

駅前ではユニークなビルのデザインにも注目。写真はモード学園スパイラルタワーズ

最先端の駅前とレトロエリアが混在

名古屋駅周辺

なごやえきしゅうへん

四間道には和雑貨の店も並んでいる

こんなところ

見上げればJRセントラルタワーズやミッドランドスクエアといった高層ビル群。地下には日本最古の地下街・サンロードほか名駅地下街が広がる。名古屋の玄関口らしく、店は有名ブランドから地元のみやげ店まで揃う。一方で魚市場「柳橋中央市場」や昔町「四間道（しけみち）」など風情豊かなエリアも。

access

●各方面から名古屋駅まで
☞P134

●名古屋駅から
名古屋駅から地下鉄桜通線で国際センター駅まで2分、丸の内駅まで3分、地下鉄東山線で伏見駅まで3分、名古屋臨海高速鉄道あおなみ線でささしまライブ駅まで1分

問合せ
☎052-541-4301
名古屋駅観光案内所

広域MAP 付録P6～7

～名古屋駅周辺　はやわかりMAP～

上空のバーから夜景に乾杯！

高層ビルのレストランバーで名古屋の夜を満喫（☞P58）。

迷路のような地下街を探検

地下街には飲食店などがたくさん揃う（☞P46）。

観光のヒント

雨天や暑い夏は地下街の移動が便利

名古屋駅から各高層ビルを結ぶように地下街が広がっているので、雨の日や暑い日、寒い日は地下街を歩いて移動するのがおすすめ。案内板もあるので安心！

おすすめコースは

6時間

名古屋駅周辺をぐるりと満喫する1日コース。高層ビルや地下街でショッピングを楽しんだり、レトロな昔町を散策しよう。シメは名駅3丁目の古民家酒場をハシゴして楽しい一夜を。

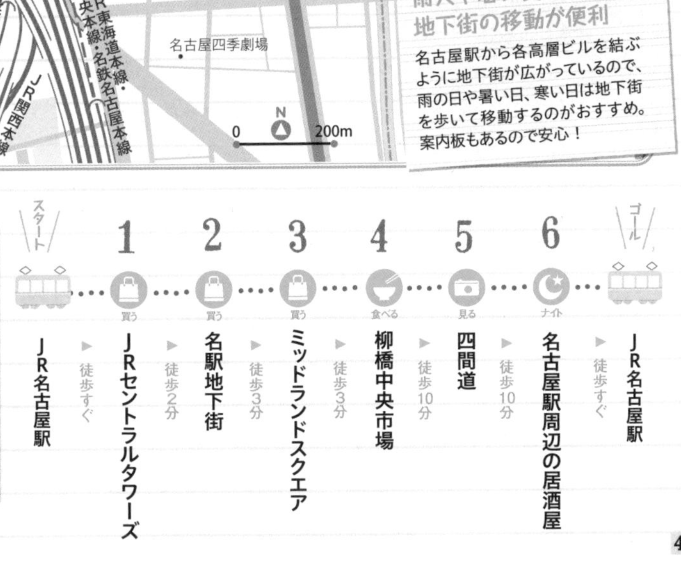

スタート　JR名古屋駅
▶ 徒歩すぐ
1（買う）JRセントラルタワーズ
▶ 徒歩2分
2（買う）名駅地下街
▶ 徒歩3分
3（買う）ミッドランドスクエア
▶ 徒歩3分
4（食べる）柳橋中央市場
▶ 徒歩10分
5（見る）四間道
▶ 徒歩10分
6（ナイト）名古屋駅周辺の居酒屋
▶ 徒歩すぐ
ゴール　JR名古屋駅

巨大ラビリンス・名駅地下街を賢く使いこなして名古屋ツウに

日本一地下街が発達しているともいわれている名古屋の地下エリア。迷路のように広がる地下街には、カフェやショップが集まります。

ここがすごい 1

雨の日も傘いらずで高層ビルに直行！

日本有数の地下街集中地・名古屋。駅から高層ビルやデパートを結ぶように地下通路が網羅され、雨の日や寒い日にも便利。

えすか

エスカ

名古屋駅玄関口の買い物処

新幹線の改札口に近く、名古屋みやげやグルメの店がずらりと並ぶ。金券ショップなどもあり、乗車前になにかと重宝する。

☎052-452-1181 住名古屋市中村区椿町6-9先 ⏰10時～20時30分（飲食は～22時30分、店舗により異なる）休不定休 交東海道新幹線名古屋駅改札口からすぐ P295台（30分330円。3000円以上で1時間無料）MAP付録P7B2

すずなみ

鈴波

▼守口漬で知られる大和屋が手がける食事処。鈴波定食1650円

やまもとやほんてん　てん

山本屋本店 エスカ店

▼老舗ならではの味で愛される店。味噌煮込みうどん1518円

きっさ

喫茶リッチ

▶エスカ開業時からある喫茶店。小倉パフェ 1210円

ここがすごい 2

名古屋みやげが揃っています

買い忘れや買う時間がない…、そんなかけ込みみやげの調達はココで。なかでも新幹線口のエスカが充実。

さんろーど

サンロード

日本最古の本格地下街

昭和32年（1957）に開業した日本最古の地下街。地下街のメインストリートを担い、名鉄・近鉄名古屋駅やミッドランドスクエア（☞P97）などと直結している。

☎052-586-0788 住名古屋市中村区名駅4-7-25先 ⏰10時～20時30分（店舗により異なる）休不定休 交地下鉄名古屋駅南改札口からすぐ Pなし MAP付録P7C3

おおす

大須のきしめん

▶大須ういろが手がける立食きしめん専門店。唐揚げおろしきしめん780円

ここがすごい 3

名古屋グルメも食べられます

矢場とん、風来坊など、名古屋グルメの有名店も出店。喫茶店も多く、モーニングもOK。

「名古屋うまいもん通り」で名古屋グルメを味わおう

JR名古屋駅構内のグルメゾーン「名古屋うまいもん通り」にはおいしいものが大集合。なかでも注目は、台湾ラーメン発祥の「味仙」やひつまぶしの「まるや本店」、「スパゲティハウス チャオ」。
MAP付録P7B2

ちかまちらうんじ
チカマチラウンジ

モダンな地下街が登場！

ミッドランドスクエア（☞P97）と地下で直結した新感覚の地下街。アジア初出店のスペインバルやイタリアン、和食、焼き鳥、タイ料理など、11の飲食店が集まる。

☎店舗により異なる 住名古屋市中村区名駅4-4-10 名古屋クロスコートタワー地下1階 ⏰11～23時（店舗により異なる） 休無休 交地下鉄名古屋中央改札口から徒歩5分 Pなし MAP付録P6D2

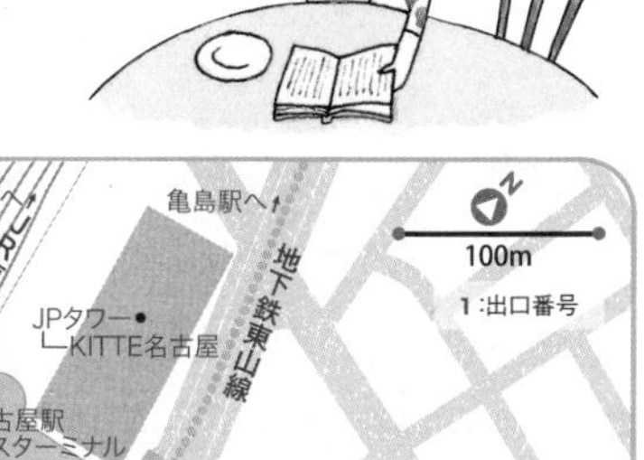

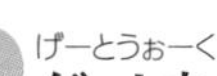

げーとうぉーく
ゲートウォーク

各線乗り換え時にも重宝！

JRはもちろん、地下鉄や名鉄などの交通機関につながり、ファッション、雑貨、コスメ、ファストフードなどさまざまなショップが揃う。

☎052-586-7999（9～20時）住名古屋市中村区名駅1-1-2 ⏰10～21時（店舗により異なる） 休無休 交名古屋駅桜通口から徒歩1分 Pタワーズ一般駐車場約1000台（30分350円） MAP付録P7C2

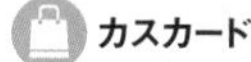

カスカード

▶当店人気ナンバー1のエッグロール220円。ふんわり、しっとりとした卵の味が人気。大人のエッグロールもある

▲コメダ名物
シロノワール770円

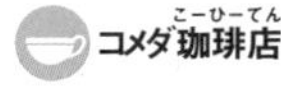

コメダ珈琲店（こーひーてん）

ゆにもーる
ユニモール

女性に人気のアイテムが充実

名古屋駅と地下鉄国際センター駅をつなぐ。ファッション、コスメ、カフェなど女性向け店舗が多い。

☎052-586-2511 住名古屋市中村区名駅4-5-26 ⏰10～20時（飲食は7時30分～22時、店舗により異なる） 休2・8月の第3木曜 交地下鉄名古屋駅中央改札口から徒歩2分 P260台（30分330円）
MAP付録P6D2

道幅100mの「100m道路」ほか、車道が広い名古屋。歩行者の通行を快適にするため地下街が発達したともいわれています。

名駅直結のおしゃれビルでグルメやショッピングを満喫

名古屋駅直結でアクセス抜群な「大名古屋ビルヂング」と「KITTE名古屋」。名古屋グルメ&みやげが楽しめるお店がたくさん集まっています！

名古屋駅

だいなごやびるぢんぐ

大名古屋ビルヂング

ショップからレストランまで全81店舗が大集結

国内最大級の高級時計ゾーン「タカシマヤウオッチメゾン」や全国各地の名店、地元の人気店などのグルメが集結する名古屋駅前のランドマーク。

☎052-569-2604 住名古屋市中村区名駅3-28-12 ⏰11～21時、飲食店は～23時（店舗により異なる）休無休（一部店舗により異なる）交地下鉄名古屋駅直結 P136台（有料）MAP付録P7C2

▲全国各地の名店、地元の人気店などのグルメが集結

地下1階

西条園 抹茶カフェ

西尾の老舗茶舗ならではの厳選された抹茶を使用した抹茶スイーツ&ドリンクが楽しめる。大名古屋ビルヂング店限定の「抹茶レアチーズケーキ」も注目。

☎080-4443-2830

❶左から抹茶バスクチーズケーキ490円、抹茶レアチーズケーキ520円、抹茶ガトーショコラ540円 ❷グリーンティー（Mサイズ）660円❸定番商品の抹茶ソフトフロート（Mサイズ）860円

地下1階

名古屋コーチン親子丼 酉しみず

東京の中目黒に本店を構える「水炊きしみず」がプロデュースする親子丼専門店。鶏、卵のほか、ご飯を炊くだし汁にも名古屋コーチンを使う。

☎052-446-7085

名古屋コーチン親子丼1580円。特製の八丁味噌ダレが好相性

3階

ひつまぶし名古屋備長 大名古屋ビルヂング店

備長炭でじっくりと焼き上げるウナギは、皮はパリッと、身はふっくら。店内は個室もあり、落ち着いた空間で食事とお酒が楽しめる。

☎052-564-5756

香ばしく焼き上げたウナギを、炊きたてのご飯に。ひつまぶし3950円

3階

山虎

名古屋名物味噌おでんや味噌串カツをはじめ三河湾の新鮮な魚料理など、愛知の郷土料理が並ぶ。地酒「長珍」との相性もマル。

☎052-583-8088

❶名古屋名物の味噌おでん各250円～ ❷旬の食材を使った本日のおばんざい1品500円がずらりと並ぶ

キャンディ専門店の
ユニークでキュートな
名古屋みやげ

大名古屋ビルヂングにある"世界一おもしろいお菓子屋さん"がコンセプトのキャンディショップ「**パパブブレ 名駅店**」。形だけでなく、味までも手羽先の唐揚げを再現したユニークな手羽先キャンディ690円が人気。
☎070-2367-3555 MAP付録P7C2

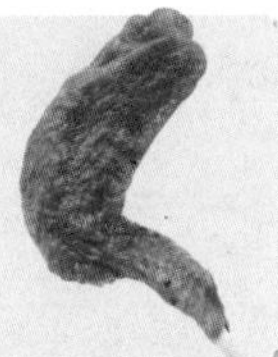

名古屋駅
きってなごや
KITTE名古屋

なごやめしをはじめ 東海地方の食が楽しめる

名古屋駅直結JPタワー名古屋内にある商業施設。東海地方のグルメをはじめ、随所にアート作品がちりばめられており、デザインにも注目。
☎052-589-8511(KITTE名古屋サービスセンター /平日10時～17時30分) 住名古屋市中村区名駅1-1-1 ⏰物販店は10～20時、飲食店は11～23時 (一部店舗により異なる) 休無休 交名古屋駅直結 P約370台(有料) MAP付録P7C1

▲洗練されたショップや東海エリアの個性的な名店が揃う

1階
青柳総本家 KITTE名古屋店

明治12年 (1879) 創業の名古屋銘菓の老舗。職人手作りの生ういろうのほか、ロゴマークのカエルをあしらったお菓子も人気。
☎052-433-8112

❶ミルクシェイクにカエルまんじゅうが浮かぶカエルのミルク風呂869円 ❷カエルまんじゅうにクリームをサンドしたケロトッツォ1個360円～❸店舗限定のひとくち生ういろう184円～

地下1階
CRAFT BEER KOYOEN

名古屋市千種区にある「名古屋ビール園 浩養園」で醸造したクラフトビールなどを味わえるビアレストラン。飛騨牛など地元の食材を使った、ビールに合う料理も豊富に揃う。
☎052-589-8223

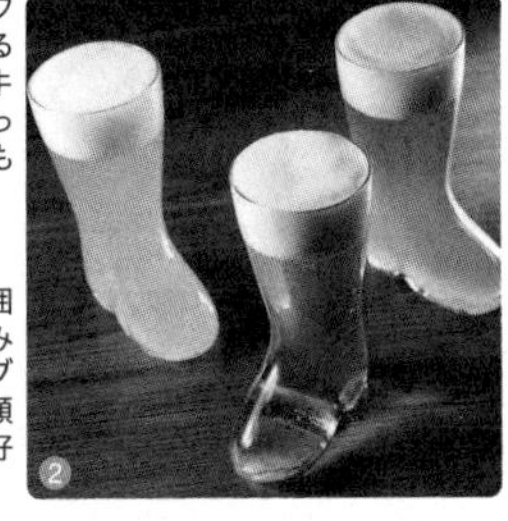

❶オールディーな雰囲気の内装 ❷好み GREENセット ミニブーツ1760円。10種類ある樽詰ビールから好みの3種類を選べる

地下1階
Cucina Italiana PER ADESSO TOKAI

東海産魚介のカルパッチョや東海産肉料理の盛り合わせなど、東海地方の食材をふんだんに使用したイタリアンは、ビールやワインとの相性も抜群だ。
☎052-433-2401

❶明るい店内はパーティーにもぴったり ❷前菜からメイン、パスタまで東海地方の食材を使用した料理がずらり

地下1階
鶏だしおでん さもん

直径1m以上の大きな鍋から漂う香りに通行人も足を止める。鶏だしで煮込んだおでんは上品かつ深みのある味わいだ。
☎052-589-3344

❶京都の町家を思わせる店構え
❷鶏だしで煮込んだおでんは上品かつ深みのある味わい

大名古屋ビルヂングの「鯛茶福乃」では8～11時にモーニングメニューを用意しています。

デザート付きでコスパ抜群！ビストロ＆トラットリアのランチ

名古屋在住の女性に大人気のランチ店。
お手頃価格でボリューム満点、デザートもポイント高いです。

ランチコース（要予約）の前菜、主菜は4～5品のなかから好きなものを選べる

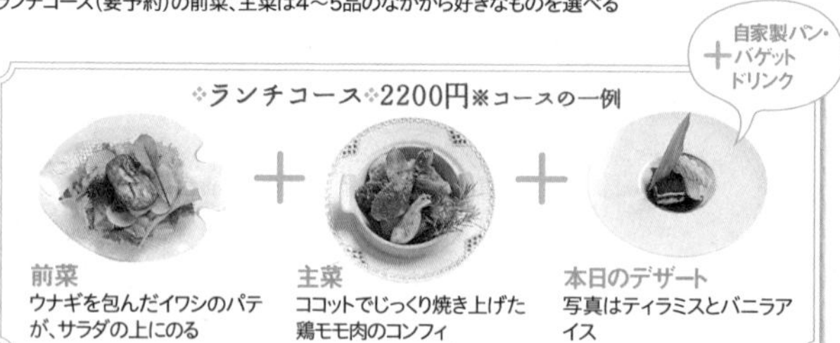

名古屋駅

さらまんじぇ どぅ かじの

サラマンジェ ドゥ カジノ

古典フレンチで至福の時間を

名古屋で最も予約が取りにくい、と噂のフレンチ食堂。フランス郷土料理をベースにスープもソースも手作り。ランチは前菜と主菜を4～5品のなかから各1品を選び、パンと本日のデザート、ドリンクが付く。一切手抜きのない料理と満腹感のボリュームで2200円とくれば、人気のほども納得。

☎052-562-2080 住名古屋市中村区名駅5-33-10 アクアタウン納屋橋 ⏰11時30分～14時30分（13時LO）、18時～22時30分（19時30分LO）※土曜のディナーは～22時30分（20時30分LO）休月～木曜のランチ、水曜、第2火曜 交地下鉄名古屋駅4番出口から徒歩6分 Pなし MAP付録P6E3

全18席。ゆとりのある配席で贅沢な時間を

シェフの梶野さんが上質な時間を提供してくれる

奇数月の1日に2～3カ月後の予約を受付

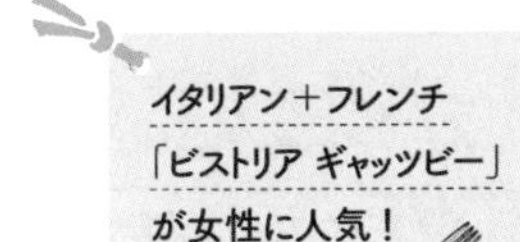

イタリアン＋フレンチ
「ビストリア ギャッツビー」
が女性に人気！

東海3県のこだわり食材を使い、イタリアン、フレンチをメインに現代風にアレンジしたメニューが人気。コースにはパティシエおすすめのデザートをショーケースよりチョイス。女子会に最適。
☎052-551-7011 MAP付録P6D1

那古野

ふれんちれすとらん ぺるーじゅ

フレンチレストラン ペルージュ

下町で正統派フレンチを

関西のレストランやホテルで修業をしたシェフとソムリエの奥さま、2人で切り盛りする。北陸の鮮魚や半田の銘柄豚、無農薬野菜を使った料理など、吟味した食材を手間ひまかけて仕上げた伝統的なフレンチと自然派ワインを召し上がれ。

☎052-583-9222 住名古屋市西区那古野1-23-9 ⏰11時30分～13時30分LO、18～21時LO 休火・水曜 交地下鉄国際センター駅2番出口から徒歩5分 Pなし MAP付録P6E1

MenuA 4400円（税別）
口取り
＋
前菜
＋
魚料理
＋
肉料理
＋
デザート
＋
飲み物

デザートはこちら！

洋梨のソテーをはさんだミルフィーユ（イメージ）

古い町並みが残る下町・那古野にある

写真上：木を基調にした落ち着いた店内。写真下：ランチMenuAの一例（イメージ）。ランチはほかにB5500円、C8800円がある（すべて税別）

コースは月替わり。平日限定ランチもおすすめ

伏見

さいあむがーでん

サイアムガーデン

元タイ領事館で味わう本格タイ料理

かつてタイ領事館が置かれていた洋館で、バンコクのホテルで修業をしたシェフによるタイ料理が味わえる。ハーブ、スパイスを駆使した野菜たっぷりの料理は、辛・甘・酸味のバランスが絶妙でヘルシーな仕上がり。

クラシックで落ち着いた雰囲気の店内

☎052-222-8600 住名古屋市中区錦1-15-17 ⏰11時30分～14時LO、17時～20時30分LO 休第1・3日曜 交地下鉄伏見駅8番出口から徒歩5分 Pなし MAP付録P6F3

ベンジャマコース
5800円
前菜6種盛り合わせ
＋
スープ
＋
メイン2種
＋
カレー・ご飯
（2種よりチョイス）
＋
デザート
＋
コーヒーorジャスミン茶
＋
デザート

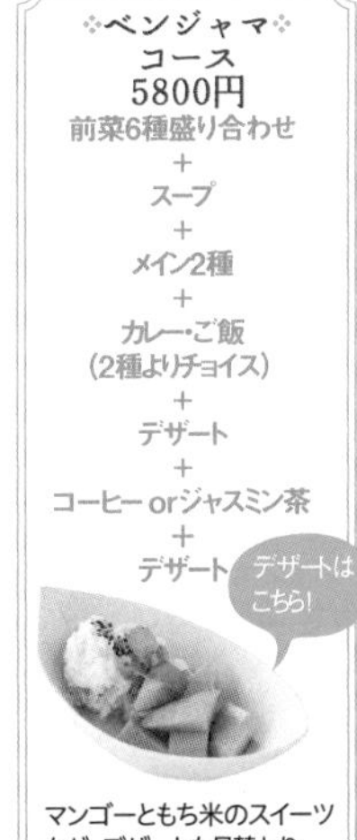

デザートはこちら！

マンゴーともち米のスイーツなど、デザートも月替わり

サイアムガーデンのある建物は国の登録有形文化財に指定されています。地下には堀川に関する展示をしている「堀川ギャラリー」が。

やっぱり「甘もん」がお好き？ スイーツ自慢の個性派カフェ

買い物や観光で歩き疲れたら、おしゃれなカフェでひと休みしましょう。シックな和カフェやギャラリーカフェなど、個性派の店が揃っています。

こちらも人気！

小倉＆きなこバター700円。きなこバターは煎り大豆のクランチの食感が楽しい

小倉トースト（厚切り）950円（薄切りは700円）

手作りの小倉あんは甘さ控えめ。口当たりなめらかな生クリームとバターの塩気がマッチ

ランチもおすすめ！

限定5食のキッシュセット1600円

カボチャのチーズケーキ　600円

オープンから愛されている優しい甘さのケーキ。(ドリンクセットはドリンク代から100円オフ)

名古屋駅

ぶちょー こーひー

BUCYO COFFEE

お手製の小倉あんが絶品

手作りの小倉あんが評判の店。名物の小倉トーストは、山盛りのあんに冠雪に見立てた生クリームがどっさり。生豆時と焙煎後に豆の選別を行う、自家焙煎コーヒーとの相性も抜群だ。

ランチから軽食、スイーツまで多彩なメニューがそろう

☎052-582-3780 住名古屋市中村区名駅南1-10-9 ⏰7時15分～17時（16時30分LO）休無休 交名古屋駅桜通口から徒歩12分 Pなし MAP付録P6E4

丸の内

ぎゃらりーぷらすかふぇ ぶらんか

gallery+cafe blanka

アートと堀川を眺めながらまったり過ごす

身近にアートを感じてほしいと、堀川沿いに残る木材倉庫をギャラリーカフェに。素材を生かした料理やこだわりの自然派ワインも楽しめ、ランチはキッシュセット以外にもパスタセットやカレーセットなどがある。

1 東海地方を中心に全国の作家を紹介する　2 窓の向こうは堀川

☎052-265-5557 住名古屋市中区丸の内1-12-3 ⏰11時30分～16時30分（ランチ14時LO、カフェ16時LO）、18～22時（21時LO）休月曜 交地下鉄丸の内駅8番出口から徒歩5分 P4台 MAP付録P13A3

「キハチ カフェ」発
名古屋限定スイーツ

名鉄百貨店本店本館4階にある「キハチカフェ」では名古屋限定の小倉あんトースト1375円が楽しめます。マスカルポーネチーズと小倉あんを組み合わせたキハチオリジナルのおいしさをどうぞ。
☎052-585-7748 MAP付録P7C2

イチゴとバナナのミルキーソースパンケーキ
1290円
もっちりとした食感のパンケーキが魅力。ミルキーソースとの相性も◎

トッピングで自分好みのスタイルに
圧倒的な肉感のパティを味わうThe Burger880円～

田舎氷
1045円
名物のわらびもちを中に入れ、きなこのみつの上にきなこのアイスと白玉をのせたかき氷

きなこを満喫！
わらびもち、きなこプリンなどが満載のきなこパフェ1100円

名古屋駅
かふぇ だうにー げーとたわーてん

Cafe Downey ゲートタワー店

西海岸の風を感じる地元っ子行きつけのカフェ

愛知県内に6店舗を展開する、地元で大人気のカフェ。創業者がカリフォルニアにケーキとサンドイッチの店を開いたことに端を発しており、味も雰囲気もアメリカさながらだ。

☎052-756-2717 住名古屋市中村区名駅1-1-3JRゲートタワー13階 ⏰11～23時(21時30分LO、ドリンク・パフェ・ケーキは22時LO) 休無休 交名古屋駅からすぐ PJRゲートタワー駐車場約1000台(30分350円) MAP付録P7C2

1ブラウンを基調にし、オールディーズな雰囲気を醸し出している 2モダンでスタイリッシュな外観

名古屋駅
きょうかんみ ぶんのすけぢゃや なごやてん

京甘味 文の助茶屋 名古屋店

初代から受け継がれるこだわりの甘味

コシがありながら、まろやかな味わいとほんのりとニッキが香るわらびもちで知られる、明治末期から続く京都の老舗和菓子店。みつや白玉に抹茶を練り込んだ抹茶あんみつ935円、抹茶パフェ1100円などが人気。夏期にはかき氷の種類も増える。

☎052-589-8065 住名古屋市中村区名駅1-1-4 ジェイアール名古屋タカシマヤ6階 ⏰10～20時(そばは19時LO、甘味は19時30分LO) 休ジェイアール名古屋タカシマヤに準ずる 交名古屋駅からすぐ P1300台(タワーズ駐車場) MAP付録P7C2

1買い物途中のひと休みに 2落ち着いた店内はゆっくりできる造り

昔ながらの喫茶店では、アイスコーヒーを「レーコー」とよびます。漢字にすると「冷コー」となります。

憧れの名店でディナーを奮発しましょう♪

世界の名店がプロデュースするラグジュアリーレストラン。
こだわりの食材を、贅沢な空間で味わいましょう。

ちゅうごくはんてん れいほ

中国飯店 麗穂

香港の料理人による本場の中国料理を

中国各地から招いた一級料理人による本場中国料理が食べられる「中国飯店」の名古屋店。上海蟹、黒酢の酢豚、北京ダック、フカヒレの煮込みなど中国飯店の名物料理のほか、三河湾の海鮮など東海エリアならではの素材も味わえる。

☎052-561-7878 住名古屋市中村区名駅4-7-1 ミッドランドスクエア41階 ⏰11時30分～14時30分LO、15時閉店（最終入店14時）、17時30分～21時LO、22時閉店（最終入店20時30分） 休無休 交名古屋駅桜通口から徒歩3分 Pミッドランドスクエア駐車場利用 MAP付録P6D2

A窓の外は絶景 B東京以外では初の出店

東京のミシュラン星付き店舗で、北京ダックを長年焼いてきた焼物師の手による「焼き立て 北京ダック」はこの店の名物の一つ。夜は1万1000円（税サ別）以上、昼は6000円（税サ別）以上のコースに付いてくる。単品オーダーも可能

名古屋駅

おーべるじゅ・ど・りる なごや

オーベルジュ・ド・リル ナゴヤ

世界的名店の味が楽しめるグランメゾン

フランス・アルザス地方で50年以上にわたり星を守り続ける名店「オーベルジュ・ド・リル」の味を、名古屋で唯一味わえるレストラン。多くの美食家たちを虜にしてきたスペシャリテやアルザスワインを42階からの絶景とともに楽しめる。

☎052-527-8880 住名古屋市中村区名駅4-7-1 ミッドランドスクエア42階 ⏰11～13時LO、17時30分～19時30分LO 休無休 交名古屋駅桜通口から徒歩5分 Pミッドランドスクエア駐車場利用 MAP付録P6D2

オリーブの木のシャンデリアが存在感を放つ

スペシャリテの「牛フィレ肉とフォアグラ・トリュフのパイ包み」。希望の際は予約時に伝えるのがおすすめ

「レストラン キルン」で
ノリタケの食器で供される
創作フレンチを

ノリタケの森（☞P65）には、日本を代表する食器ブランド・ノリタケの食器で創作フレンチを楽しめるレストラン キルンがあります。特にランチ3800円～は予約必須の人気メニューです。
☎052-561-7304 MAP付録P5A2

名古屋駅

えのてーか ぴんきおーりなごや

エノテーカ ピンキオーリ名古屋

ミシュラン名店の味がここ名古屋で楽しめる

本店はイタリア・フィレンツェにある、ミシュラン3つ星のイタリア料理店。世界では本店とここ名古屋でのみ味わえる。店内からは名古屋城も眺めることができ、ミシュラン1ツ星の料理とともに、42階からの絶景も楽しめる。

☎052-527-8831 住名古屋市中村区名駅4-7-1 ミッドランドスクエア42階 ⏰11時～13時30分LO、17時30分～20時30分LO 休ミッドランドスクエアの休館日に準ずる 交名古屋駅桜通口から徒歩5分 Pミッドランドスクエア駐車場利用 MAP付録P6D2

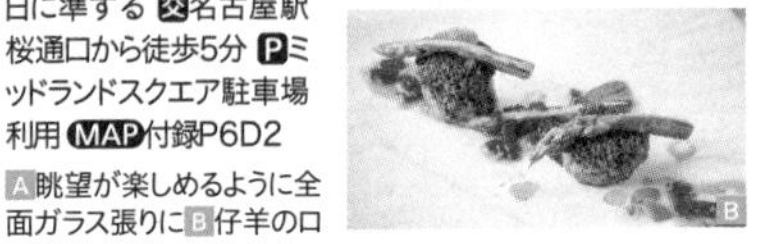

A眺望が楽しめるように全面ガラス張りに B仔羊のロースト

絹姫サーモンのマリネは季節のメニューの一例。地元産や旬の食材を厳選し、その季節しか味わえないコースが楽しめる

名古屋駅

ふらんすりょうり みくになごや

フランス料理 ミクニナゴヤ

地上210mで味わう大人のフレンチ

日本のフランス料理界を牽引し続ける三國清三がプロデュースする店。厳選した食材を使用し、素材の味わいを存分に引き出した料理を提案している。食後に提供されるホテルパティシエの作るデザートも好評。

☎052-584-1105
住名古屋市中村区名駅1-1-4 名古屋マリオットアソシアホテル52階 ⏰11時30分～13時30分LO、17時30分～20時LO 休休業日あり 交名古屋駅直結 P170台（5000円以上の利用で2時間無料） MAP付録P7A2

Aアール・ヌーヴォーの優雅なインテリア B個室もある

※写真はイメージ

キュイジーヌナチュレル（自然と同化したフランス料理）をポリシーに、日本の季節の食材を生かした、オリジナリティあふれる料理を提供している

東海地方には松阪牛、名古屋コーチン、伊勢エビなど、全国的なブランド食材がたくさんあります！

駅近ちょい飲みスポットでほろ酔いハシゴ酒

名古屋駅周辺には昭和レトロな酒場や酒自慢の居酒屋が多い。人情味あふれる古き良き名古屋を味わいに一軒、また一軒！

魚正宗（うおまさむね）

産地直送の魚介をお手頃に

日本各地の漁港から仕入れる魚介が自慢の漁師風酒場。旬の食材を生かした刺身や炭火焼、鍋、寿司などのほか、マンボウの腸のような珍味も！ 丼もの主体のランチ950円～もあり。

☎052-433-9955 住名古屋市中村区名駅3-11-17 🕒11時30分～13時30分LO、17時30分～23時LO 休日曜、祝日 交地下鉄名古屋駅3番出口から徒歩5分 Pなし MAP付録P6D1

◀カウンターに旬のおばんざいが並ぶ

◀朝仕入れた魚介の豪華刺し盛り。魚正盛り2050円

ディアボロ バンビーナ（でぃあぼろ ばんびーな）

自慢の窯焼きピッツァを

2種の小麦粉を配合した生地と本格薪窯によって生まれる“カリッとした軽さ”を極めたピッツァが自慢。ワインもボトル2980円～とお手頃なのがうれしい。

☎052-433-9966 住名古屋市中村区名駅3-11-17 🕒11時30分～14時LO、17時30分～23時LO 休無休 交地下鉄名古屋駅3番出口から徒歩5分 Pなし MAP付録P6D1

▲特に女性客に人気が高い店

◀まずはシンプルなマルゲリータ1380円でおいしさを実感して

◀昭和レトロの雰囲気が色濃く漂う長屋を利用した名駅酒場に「魚正宗」や「ディアボロバンビーナ」が入っている

昭和の銭湯で一杯！
「山海百味そら豆」

レトロ居酒屋が点在する名駅3丁目でも、特に個性的なダイニングが「山海百味そら豆」。築70年もの銭湯を利用した店内に煙突やボイラー機などが残り、当時の名残が感じられます。
☎052-566-5550 MAP付録P6D1

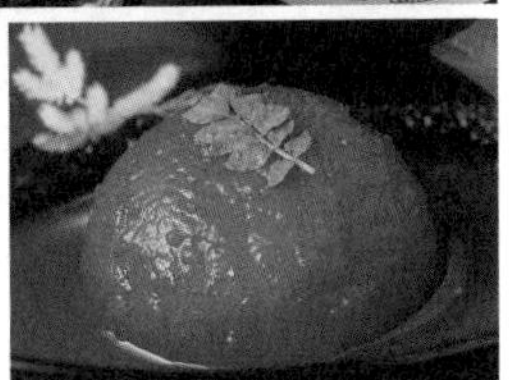

▲木桶で2年間熟成させた豆味噌を使った味噌おでん1705円。大根、こんにゃく、角麩、卵、焼き豆腐、豚角煮の盛り合わせ▶三河赤鶏のひき肉を詰め、かつおだしとトマト汁で煮込んで冷やした完熟冷やしとまと煮1848円

▲カニ身とカニみそがぎっちりと詰まり、濃厚なうま味が感じられるカニコロッケ858円

▶名古屋名物の台湾ラーメンの具のみを酒のアテにした台湾ニラもやし528円
※メニューは日替わり

くろうどくりやねのひ なごやえきまえてん
蔵人厨ねのひ 名古屋駅前店

愛知の地酒とこだわりの和食

寛文5年（1665）創業の愛知県知多半島の蔵元「盛田」の直営店。店内は酒蔵をイメージして造られており、店名にもある蔵直送の旨口の酒「ねのひ」と、季節の旬の食材や蔵人のまかない料理が楽しめる。人気の純米利き酒三種セットは880円。

☎052-527-8830 住名古屋市中村区名駅4-7-1 ミッドランドスクエア4階 🕒11～15時（14時30分LO）、17～22時（21時LO）休無休 交名古屋駅から徒歩3分 Pミッドランドスクエア駐車場利用約151台(有料) MAP付録P6D2

◀ミッドランドスクエア4階にある

めいえきたちのみ おおしま
名駅立呑 おお島

新鮮な魚介を気軽に立ち飲みで

狭い通路の左右に10ほどの飲食店が軒を連ねる「駅前横丁」の中にある。伊勢湾で揚がった新鮮な魚介類などを立ち飲みスタイルでリーズナブルに味わえる。日本酒の種類も豊富で、東海地方の地酒も多く取り揃えている。

☎052-581-5575 住名古屋市中村区名駅4-22-8 🕒17～24時（23時LO、土曜は15時～、日曜は13～22時※連休の場合は変更あり）休火曜 交名古屋駅桜通口から徒歩10分 Pなし MAP付録P6E3

◀横丁の店舗のなかでは比較的広く、初めてでも入りやすい

栄の繁華街・錦3丁目が「きんさん」とよばれているのに対し、最近では名駅3丁目界隈は「めいさん」とよばれています。

夜景もごちそうの一つです。きらめく天空のバー&カフェ♥

名古屋駅周辺は、名古屋きっての高層ビル密集エリアです。
夜景を見下ろせる高層階のバーやカフェで、贅沢なひとときを。

ざ わん あんど おんりー -なごや-
THE ONE AND ONLY -NAGOYA-

重厚なソファに包まれて乾杯

地上40階、高さ180mからの眺望をゆったりと楽しめるスカイラウンジ。全面ガラス張りの店内からは、窓際はもちろん奥の席からもダイナミックな夜景を望むことができる。100種以上あるカクテルなど豊富なドリンクも自慢。

☎052-551-0030 住名古屋市西区牛島町6-1 名古屋ルーセントタワー40階 ⏰18時～午前1時 休不定休 交名古屋駅桜通口から徒歩5分 Pなし MAP付録P7B1

A窓際席は予約が確実 B個室のVIPルーム(別途料金)も Cカクテル1250円～。ノンアルコールカクテルもお好みで D前日までの完全予約制のコース(20時までに入店)、6000円のコースもある

※サービス料10%別

かふぇ ど しえる
カフェド シエル

夜のカフェで贅沢な時間を

高さ245mの眺望抜群のカフェで優雅にブレイクタイム。地下にある人気の洋菓子店特製のスイーツが食べられると評判だ。香り豊かなオリジナルブレンドティー880円とともにぜひ。

☎052-566-8924 住名古屋市中村区名駅1-1-4 ジェイアール名古屋タカシマヤ51階 ⏰10～21時LO(ドリンクのみ21時30分LO) 休不定休 交JR名古屋駅直結 Pタワーズ一般駐車場利用、1000台 MAP付録P7C2

A一日を通して窓際の席は人気 Bオリジナルブレンドティー880円～ Cエビとブロッコリーのトマトクリームスパゲティ1430円 D入口のショーケースには自慢のケーキが並ぶ

※価格はすべてサービス料込み

夜の名古屋駅周辺はお散歩もおすすめ！

高層ビルが立ち並ぶ名古屋駅周辺の夜景は、高層階から見下ろすのはもちろん、お散歩しながら見上げるのもおすすめ。都会感あふれる雰囲気を思う存分味わえるはずです。

A

名古屋マリオットアソシアホテル52階

すかいらうんじ じーにす

スカイラウンジ ジーニス

地上210m

高さ210mからの夜景を楽しむ

エレガントな空間で非日常を味わえる。夜にはピアノライブが大人の雰囲気を盛り上げる。人気の窓際の席は早めの予約がおすすめ。ランチは3700円～、ディナーは9500円～。

☎052-584-1108 住名古屋市中村区名駅1-1-4 名古屋マリオットアソシアホテル52階 ◷13時～22時30分LO(土・日曜、祝日11時30分～)、17時以降別途カバーチャージ要 休無休 交名古屋駅直結 P170台(5000円以上の利用で2時間無料) MAP付録P7C2

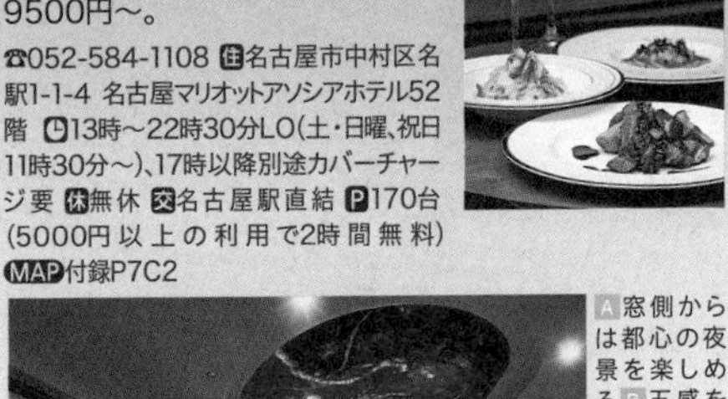

A窓側からは都心の夜景を楽しめる B五感を刺激するメニューの数々 Cヨーロピアン・エレガンスをコンセプトに統一された店内

※価格はすべてサービス料込み

A

JRセントラルタワーズ51階

わいん らうんじ あんど れすとらん せぱーじゅ

Wine Lounge & Restaurant Cépages

地上245m

ワイン×料理×夜景のマリアージュ

ワイドな窓からの景色に吸い込まれそうな絶景ラウンジ。料理に合わせたワインのペアリングサービスも。フレンチをベースとした地域の良質な食材にこだわったコースを提供。

☎052-587-7820 住名古屋市中村区名駅1-1-4 ジェイアールセントラルタワー51階 ◷11～22時（ランチは～13時30分、ディナーは18～19時LO）休ジェイアール名古屋タカシマヤに準ずる 交名古屋駅直結 Pタワーズ一般駐車場利用、1000台 MAP付録P7C2

A店内はどの席からでも景色が望める造りに B常時数種類のグラスワインも用意。1650円～ Cコース料理6050円～はワインとベストマッチ

※価格はすべてサービス料(10%)別

お酒が苦手な方でも、JRセントラルタワーズ「カフェド シエル」なら夜景＋スイーツが楽しめます。

レトロな町並みが楽しめる「四間道」界隈をのんびりおさんぽ

慶長15年(1610)の名古屋城築城により生まれた町人町「四間道(しけみち)」。白壁の土蔵や格子窓の町家を利用した店巡りが楽しみです。

四季の蔵 右近(しきのくら うこん)

築250年の蔵で食事を

四間道でひときわ目を引く蔵を利用した食事処。三河の若鶏や豚、鳥羽のカキといった地元の食材や旬のものを使い、和食をベースに洋の手法を取り入れた創作料理が味わえる。3種類のフルコース（月コース7500円、桜コース 9500円、葵コース 1万1500円）や、ドリンク1杯付き前菜5種セット1980円も好評。

☎052-586-0392 住名古屋市西区那古野1-36-19 ⌚17時30分～21時30分料理LO、22時ドリンクLO 休日・月曜（月曜が祝日の場合は連休）交地下鉄国際センター駅2番出口から徒歩6分 P1台 MAP付録P6F1

▲天井の高い店内。座敷がなくなり、完全個室に変更

◀月コース 7500円～（食前酒+先付け+前菜+椀物+魚料理+肉料理+お食事+デザートの8品）

◀白壁が風情を醸し出す四間道の町並み

▶四間道のメインストリートに面している

四間道ガラス館(しけみちがらすかん)

国内外のガラス製品が400点

明治38年(1905)創業の老舗ガラス卸直営のアンテナショップ。古民家を利用した店内には、日常使いの食器から、伝統工芸の切子グラスやガラスアーティストの作品、ベネチアングラスビーズで作ったアクセサリーなど多種多様のガラス製品がずらりと並ぶ。

☎052-551-1737 住名古屋市西区那古野1-31-2 ⌚11～17時 休月曜、第2・4・5日曜 交地下鉄国際センター駅2番出口から徒歩6分 P1台 MAP付録P6F1

◀日用品から芸術品まで豊富

Café de Lyon Bleu(かふぇ ど りおん ぶるー)

色とりどりのパフェに心踊る

フランス、セーヌ川沿いのカフェをイメージ。ゆったりと心地よい空間で、看板メニューのパフェはもちろん、焼き上げグラタンなどのランチメニューが楽しめる。

☎052-433-8811 住名古屋市中村区那古野1-38-13 ⌚11～18時（土・日曜、祝日10時～）休水曜 交地下鉄国際センター駅2番出口から徒歩5分 Pなし MAP付録P6F1

▲紅ほっぺいちごづくしパフェなど季節のフルーツを使ったパフェは1580円～

▲ノスタルジックな雰囲気の四間道にたたずむ

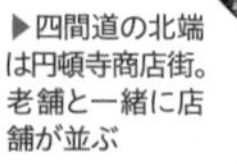

▶四間道の北端は円頓寺商店街。老舗と一緒に店舗が並ぶ

ゆっくりまわって約90分

四間道(しけみち)って？

名古屋市の町並み保存地区に指定されている古い町並み。元禄13年（1700）の大火で多くの町屋が焼失してしまったことから、防火の目的と商人の商業活動のために、道幅を四間（約7m）とったことから四間道とよばれれるようになったとも。

交名古屋駅から地下鉄桜通線で1分、国際センター駅下車すぐ ☎052-541-4301(名古屋駅観光案内所) MAP付録P6F1

地元ネタ満載の下町情報誌『ポゥ』

地元有志により年2回発行される円頓寺・四間道界隈の下町情報誌『ポゥ』。町歩きマップやお店・イベント情報など、地元ならではの情報が満載。掲載店や円頓寺商店街・円頓寺本町商店街の掲示板などで無料配布しています。

▲大きな蔵が店になった四季の蔵 右近

三平(さんぺい)

▲せいろそば1000円。潰したゴマが入るごまつゆ1100円もある

▲坪庭を望む和空間

町並みになじむシックな店

メインの二八そばにおばんざいが付く日替わりランチは1600円～、夜は日本酒とともに一品料理が味わえるそば店。長野県産のそば粉で打つ二八そばは香り高くのど越しがよく、辛めのツユに好相性。

☎052-485-6611 住名古屋市西区那古野1-29-13 ⏰11時30分～14時、18～22時(土・日曜、祝日は11時30分～15時) 休月曜 交地下鉄国際センター駅2番出口から徒歩3分 Pなし MAP付録P6F1

▼屋根に奉られた屋根神様。疾病や火災から身を守ってくれる

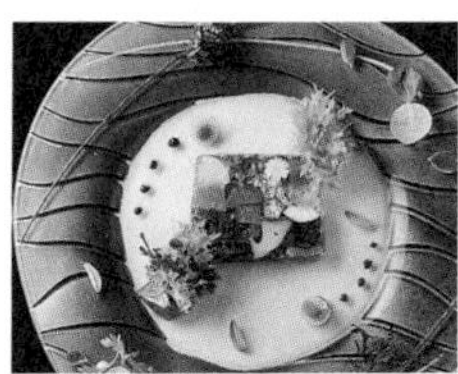

◀コースはランチ5500円～、ディナーは1万3200円～

▼土蔵をリノベーションした店内

四間道レストラン MATSUURA(しけみちれすとらん まつうら)

土地の素材を大切にした繊細な料理

築300年を超える土蔵を利用したフランス料理店。三河湾の魚介や地場野菜など、旬の素材を使用しており、月ごとに替わるスペシャリテやテリーヌなどで味わうことができる。

☎052-720-5631 住名古屋市西区那古野1-36-36 ⏰ランチ11時30分～14時LO、ディナー18時～20時30分LO 休月曜、第3日曜 交地下鉄国際センター駅2番出口から徒歩5分 Pなし MAP付録P6F1

第1土・日曜は「円頓寺・四間道界隈着物日和」。四間道界隈のお店に着物で訪れると、割引やプレゼントなどの特典があります。

名古屋の台所「柳橋中央市場」でお買い物＆グルメ

名古屋の食を支える柳橋中央市場には、プロが選んだ新鮮食材がずらり。買い物はもちろん場内には食事処もあり、ぶらり散策も楽しみです。

▼近海の貝、おいしそう！

やなぎばしちゅうおうしじょう
柳橋中央市場

一流シェフも仕入れに通う名古屋の台所で美味探し

明治後期に自然発生的に生まれた万物問屋をまとめる形で開設された柳橋中央市場。約4000坪のエリア一帯が市場で、魚介類を中心に、肉、青果、乾物、花など、約200店舗が並んでいる。名古屋駅からも近く一般客の利用もOK。プロご用達の市場で食事や買い歩きはいかが？

☎052-581-8111（マルナカ食品センター）住名古屋市中村区名駅4-15-2 ⏰4～10時ごろ 休日曜、祝日、水曜不定休（公式サイトで要確認）交名古屋駅7番出口から徒歩5分 P300台 MAP付録P6D2

▶一般客は、プロの仕入れが落ち着いた後、8～9時が狙い目

▶プロの技に目が釘付け

てんぷらとわいん こじまほんてん
天ぷらとワイン 小島本店

▲夜のメニューの一例。日間賀島産大アサリ390円、蓮根フォアグラ2個590円など

▲清潔感あふれる店内

市場直送の食材を天ぷらで

柳橋中央市場で仕入れた旬の魚介と野菜を天ぷらにして提供。朝から昼は定食で、夜はアラカルトで注文できる。揚げ油にオリーブオイルを使っているので、香りがよくヘルシー。

☎052-561-2666 住名古屋市中村区名駅4-15-2 マルナカ食品センター内 ⏰8～14時、17時30分～22時LO 休無休 交名古屋駅桜通口から徒歩7分 Pマルナカ食品センター駐車場を利用（150台、15分100円）MAP付録P6D2

▶時間によってはマグロをさばく様子を見ることができる

▼場内を見てまわるだけでも楽しい

まるなかしょくひんせんたー
マルナカ食品センター

柳橋中央市場の核となるビル

昔から名古屋市民に愛され続ける卸売センター。鮮魚、食肉、野菜から包装資材まで約50店が軒を連ね、業者だけでなく一般客も新鮮な食材を買い求められる。寿司やイタリアン、バルといったお店も豊富に揃う。

☎052-581-8111 住名古屋市中村区名駅4-15-2 ⏰早朝～10時ごろ（店舗により異なる、年末は12時ごろ）休水曜不定休、祝日 交地下鉄名古屋駅7番出口から徒歩5分 P150台（15分100円）MAP付録P6D2

好評！期間限定
暑い夏の夜は
市場直結の
「柳橋ビアガーデン」

マルナカ食品センター屋上で4月中旬～10月末にオープンする市場直結のビアガーデン。4500円で120分飲み放題＆約80種以上のバイキング食べ放題のほか、市場の新鮮魚介や屋台料理などと交換できる500円分の金券が付く。
☎080-3543-4535 MAP付録P6D2

◀エビやカニなど、北陸の幸も

◀旬の魚が揃ってるよ！

尾毛多セコ代 柳橋市場店
おけたせこよ やなぎばしいちばてん

ホルモン焼とビールで乾杯

熟成味噌に豚の小腸やガツなどを絡めた味噌とんちゃんが名物。専属の肉問屋から毎日買い付け、すぐに下処理して提供するため鮮度がピカイチ。どて味噌煮590円、手羽先唐揚げ580円も人気。

☎052-561-5828 住名古屋市中村区名駅4-15-30 ⏰12～22時（土・日曜、祝日10時～）休無休 交名古屋駅桜通口から徒歩7分 Pなし MAP付録P6D2

◀名物!! おいらの自慢の味噌とんちゃん660円。七輪で香ばしく焼いて食べよう

お安くしとくよ

まぐろやさん柳橋
まぐろやさんやなぎばし

市場ならではの新鮮なネタを丼に！

マルナカ食品センターの海鮮丼専門店。季節ごとにおいしいマグロや新鮮な近海の魚介を提供。朝からお刺身で飲めるのも市場の醍醐味！

☎090-1567-0968 住名古屋市中村区名駅4-15-2マルナカ食品センター内 ⏰6時～13時30分、17時30分～21時LO 休日曜、祝日 交地下鉄名古屋駅7番出口から徒歩5分 P150台（15分110円） MAP付録P6D2

▼極上海鮮丼2300円。マグロのトロ、穴子や白身魚など本日のネタが10種のったおすすめ

柳橋界隈には夜明け前から営業する市場関係者御用達の食堂も。洋食モーニングもいいけれど干物と味噌汁の朝ごはんならこちらへ。

世界の人々を魅了する「モノづくり」ヒストリーの原点

愛知県は、昔から「モノづくり」の盛んな地域です。
今や世界に知られる4大産業の歴史を紐解いてみましょう。

◀世界で初めて無停止自動杼換装置を実用化したG型自動織機

▲現・静岡県湖西市に誕生した豊田佐吉。生涯で119件もの特許・実用新案を取得した日本の十大発明家の一人

愛知の産業 No.1 繊維機械

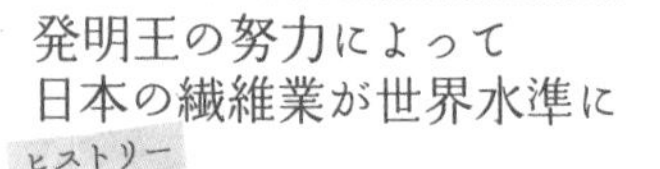

発明王の努力によって日本の繊維業が世界水準に

ヒストリー

江戸時代から綿織物業で栄えた愛知県。その発展を世界有数の水準に押し上げたのが発明王・豊田佐吉だ。機織りに苦労する母の姿を見て育った佐吉は、織機の改良に力を注ぎ、明治23年(1890)に、「豊田式木製人力織機」を完成。その後も改良を重ね、明治44年(1911)には研究開発のために豊田自働織布工場(現・トヨタ産業技術記念館)を設立し、大正13年(1924)に、日本の産業近代化の先駆けとなった画期的な「無停止杼換式豊田自動織機(G型)」を誕生させた。G型の開発により、高品質の布が効率よく生産できるようになった日本は、瞬く間に世界の織布工業を圧倒。繊維産業は基幹産業として、その後の日本の経済を支えてきた。

▲トヨダAA型乗用車。トヨタ博物館とトヨタ産業技術記念館でレプリカが見られる

▶豊田喜一郎は佐吉の長男。26歳で父の会社に入社し、昭和12年(1937)にトヨタ自動車工業(現・トヨタ自動車)を創業した

愛知の産業 No.2 陶磁器

近代セラミック産業の原点 "純白"への飽くなき挑戦

ヒストリー

幕末の動乱期、のちにノリタケ創業者となる森村市左衛門は、国を発展させるため輸出業を志す。当初は日本の骨董品などを輸出していたが、その後主力商品となった陶磁器の販路拡大を狙い、洋食器を日本で作ることを決意。明治37年(1904)には愛知郡鷹場村大字則武(現名古屋市西区則武新町)に日本陶器合名会社を設立、洋食器製造へ乗り出したが、困難を極め、完成には10年の歳月を要した。こうして生まれた日本製の洋食器は次々と米国に向けて輸出され「ノリタケチャイナ」とよばれて好評を博した。現在では洋食器製造で培った技術がさまざまなセラミック産業に応用され、発展を遂げている。

◀創業者の森村市左衛門。日本陶器からはのちにTOTOや日本ガイシが分離・独立し、日本の近代セラミック産業の先駆けとなった

▼日本で初めてボーンチャイナの製造に成功したのもノリタケ

自動車

誰もが無理だと思っていた国産車の開発を実現

ヒストリー

G型自動織機の発明家・豊田佐吉の息子、豊田喜一郎は、仕事で訪れた米国で、街中にあふれる車の数に圧倒された。当時の日本では、街を走る車はタクシーか一部の富裕層のもの。喜一郎はやがて日本にも車社会が訪れることを確信し、帰国後の昭和8年(1933)に、豊田自動織機製作所内に自動車部を立ち上げた。その2年後には早速乗用車とトラックを試作。トラックはGI型として量産を開始し、さらに翌年の昭和11年(1936)には、自社初の乗用車となるAA型乗用車が誕生した。AA型は7年間で1404台を製造し、その技術は国内の自動車産業を支える基礎となった。今では世界中の国々で日本車が走っている。

愛知の
産業
No.4

伝統工芸 有松・鳴海絞り

木綿の絞り染めが世界の"SHIBORI"へ

ヒストリー

国の伝統工芸品に指定されている有松・鳴海絞りは、今から約400年前、江戸幕府開府直後の慶長15年(1610)ごろに開祖・竹田庄九郎らによって誕生した。当時は宿場町の池鯉付宿と鳴海宿間の道中が長く、治安が悪化していたため、尾張藩が現在の有松地区に村を造り、有松絞りを藩の特産品として保護したことからその歴史が始まった。以後伝統を絶やさず現在まで受け継いできた絞りの技法は100種にも及び、日本の絞り生産量のうち実に約9割が有松で生産されているといわれる。今では有松絞りの名は"SHIBORI"という名で世界に轟き、人気を博している。

▲今では藍色以外のカラフルなものも多い

トヨタ産業技術記念館
とよたさんぎょうぎじゅつきねんかん

トヨタグループ発祥の地に残る大正時代の赤レンガ工場を、産業遺産として保存・活用するために設立。繊維機械と自動車の技術の変遷を、本物の機械による動態展示や実演で「見て」「驚いて」「学ぶ」ことができる。

代表車種が並び研究開発の紹介などもある

☎052-551-6115 住名古屋市西区則武新町4-1-35 ¥1000円 ⏰9時30分～17時(入場受付は～16時30分) 休月曜(祝日の場合は翌日) 交名鉄栄生駅から徒歩3分 P220台 MAP付録P5A2

ノリタケの森
のりたけのもり

洋食器メーカー「ノリタケ」の陶磁器に関する複合施設。緑豊かな園内では工場見学をはじめ、直営店での買い物やレストランでの食事もできる。ミュージアムのオールドノリタケは必見。

1職人によるハンドペイント実演 2明治時代に建てられた赤レンガ建築が残る

☎052-561-7114 住名古屋市西区則武新町3-1-36 ¥無料(クラフトセンターのみ入館500円) ⏰10～17時(ショップは～18時) 休月曜 交地下鉄亀島駅2番出口から徒歩5分 P隣接のイオンモール駐車場(有料)を利用 MAP付録P5A2

トヨタ博物館
とよたはくぶつかん

ガソリン自動車誕生から現代までの自動車の歴史を国内外約140台の車両で紹介する博物館。「クルマ文化資料室」では約4000点のクルマに関わる文化資料を展示。

1日米欧の自動車の進展が一望できる 2クルマ文化資料室

☎0561-63-5151 住長久手市横道41-100 ¥1200円 ⏰9時30分～17時 休月曜(祝日の場合は翌日) 交愛知高速交通(リニモ)芸大通駅から徒歩5分 P320台 MAP付録P2C2

有松・鳴海絞会館
ありまつ・なるみしぼりかいかん

有松・鳴海絞りの歴史や資料を見学できる資料館。工芸士らによる絞りの実演(9時30分～16時30分)が見学でき、予約すれば絞り体験も可能。

☞P126参照

熟練の職人による実演はその細かさに驚き!

これしよう！

徳川園を歩いて四季の趣を体感

尾張国の自然景観を表現した日本庭園で四季の花々を観賞（☞P74）。

これしよう！

町歩きが楽しい文化のみち・白壁を歩く

大正時代の邸宅が残る白壁界隈で、歴史に思いを馳せたい（☞P76）。

これしよう！

「金鯱城」（別名）は外せない名所です

名古屋のシンボル・名古屋城。金のシャチホコも天守も必見！（☞P68）

徳川美術館は見ごたえ十分（☞P72）

名古屋城・徳川園はココにあります！

名古屋城
名城公園
名古屋城
久屋大通
名古屋駅
路線バスで12分
地下鉄で5分
地下鉄で15分
栄
徳川園

尾張徳川家の城下町を歩いて歴史を学ぶ

名古屋城・徳川園

なごやじょう・とくがわえん

こんなところ

名古屋城から文化のみち・白壁地区を経て徳川園へと至る歴史ゾーン。名古屋城や徳川園では尾張徳川家の歴史や文化を、白壁地区では明治から昭和へ至る近代化の歩みを伝える歴史的建造物を見学できる。界隈ではウォークラリーが行われることもあり、町歩きを楽しめる。

access

●名古屋駅から
名古屋駅から地下鉄東山線・名城線で名古屋城駅まで11分

●栄から
地下鉄栄駅から地下鉄名城線で名古屋城駅まで4分

問合せ
☎052-541-4301
名古屋駅観光案内所

広域MAP 付録P12～13

〜名古屋城・徳川園 はやわかりMAP〜

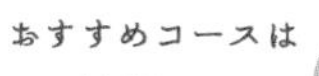

おすすめコースは

5時間

名古屋城を筆頭に、白壁エリアや徳川園、徳川美術館などをまわる歴史スポットの王道コース。尾張徳川家の文化や、趣深い建築群を訪ねよう。地図を片手に歴史を感じながら歩きたい。

金のシャチホコがぴかぴか輝く名古屋城に登城します！

名古屋のシンボルといえば、金のシャチホコが輝く名古屋城。
話題のイケメン武将隊も登場し、本丸御殿は復元され完成公開しました。

なごやじょう
名古屋城

尾張徳川家の金鯱城

慶長15年（1610）に徳川家康の命により築城を開始。天守閣に燦然と金のシャチホコが輝き、別名「金鯱城（きんこじょう、きんしゃちじょう）」ともよばれる。古くは伊勢音頭で「尾張名古屋は城でもつ」とまで唄われ、日本三名城の一つにも数えられる。現在の天守閣は昭和34年（1959）に再建されたもの。

☎052-231-1700（名古屋城総合事務所）住名古屋市中区本丸1-1 ¥500円 ⏰9時～16時30分（本丸御殿および西の丸御蔵宝城館への入場は～16時）休12月29～1月1日（イベント等により変更あり）交地下鉄名古屋城駅7番出口から徒歩5分 P431台（30分ごとに180円）MAP付録P13A2

名古屋城の歩き方

ゆっくりまわって約120分

①正門
↓
②表二之門
↓
③本丸御殿
↓
④ 清正石
↓
⑤天守閣（現在、閉館中）
↓
⑥名勝二之丸庭園

start

せいもん
1 正門

明治43年（1910）に旧江戸城内の蓮池御門を移築。その後、空襲により焼失したため、天守閣とともに再建された

にしのまるおくらじょうほうかん
西の丸御蔵城宝館

名古屋城が所蔵する国の重要文化財「名古屋城本丸御殿障壁画」などを展示するほか、企画展も開催。城内巡りの前に立ち寄りたい。
⏰9～16時入館

提供／名古屋城総合事務所
▲城内巡りの前に名古屋城の歴史を学ぼう

おもてにのもん
2 表二之門

門柱、冠木ともに鉄板張りで造られ、袖塀には鉄砲狭間も設けられた堅固な門。国の重要文化財に指定されている

名古屋城みやげ

名古屋城みやげを扱う売店は、正門横、内苑、ミュージアムショップの3カ所。

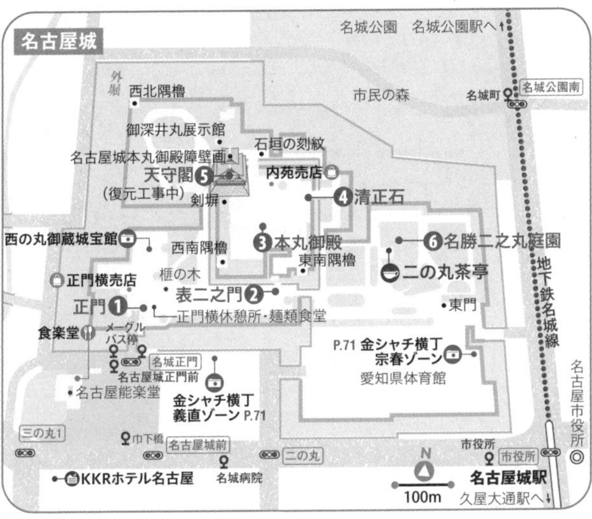

てんしゅかく
天守閣

小天守と大天守からなる。大天守は地下1階、地上7階建て。日本100名城にも選定。現在、内部見学は不可

ほんまるごてん
本丸御殿 →P70

徳川家康の命により建てられた尾張藩主の住居・政庁。平成21年(2009)から約10年の工期を経て平成30年(2018)に完成公開した

めいしょうにのまるていえん
名勝二之丸庭園

国の名勝に指定される枯山水回遊式庭園。庭内には「二の丸茶亭」が立ち、趣ある亭内で一服してくつろげる

きよまさいし
清正石

加藤清正が自ら音頭を取り、運んだと伝えられるが、ここの石垣は黒田長政の丁場だったと伝わる

goal

ひと休みスポット

にのまるさてい
二の丸茶亭

二之丸庭園を望む席で、四季折々の風景とともに抹茶で一服しよう。🕒9時〜16時30分

▲金箔入り抹茶700円(菓子付き)

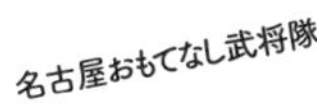

名古屋おもてなし武将隊

▶名古屋ゆかりの武将と陣笠が毎日名古屋城内で観光客をおもてなし。出陣は日替わり

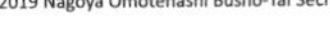

金のシャチホコは、実は過去に数回、鱗の盗難に遭っています。ただし全件、犯人はお縄になっています。

絢爛豪華に飾られた 名古屋城「本丸御殿」へ

「御殿建築の最高傑作」とも評される本丸御殿は、木造復元工事が平成30年(2018)に完了。約400年前の書院造の建物や豪華な意匠が見事に復元されました。

本丸御殿（ほんまるごてん）

息をのむほどの美しさ

慶長20年（1615）に尾張藩主の住まい・政庁として創建。のちに上洛殿などを増築し、将軍が京都に向かう際の宿舎となった。昭和20年（1945）に焼失する前は国宝にも指定されていた。襖や実測図、写真など、戦前の貴重な資料をもとに復元作業がスタート。平成25年（2013）の玄関と表書院を皮切りに各部屋の内部が順次公開され、平成30年（2018）にすべての部屋が公開された。

鑑賞ポイント

部屋のムードを決める狩野派の障壁画

各部屋を彩るのは、室町～江戸時代に活躍した日本最大の絵師集団・狩野派による襖絵や天井板絵。現代の絵師による復元模写を見ることができる。

細部までこだわった豪華な装飾

総ヒノキ・書院造で風格ある本丸御殿は、内部装飾の細部もみどころ。天井の造りから金具のデザインまで、さらに風格を高めるための細やかな工夫が凝らされている。

音声ガイドもチェック

落語家・春風亭昇太さんと名古屋おもてなし武将隊の徳川家康公による音声ガイド（1回100円）もある。

上洛殿（じょうらくでん）

狩野派のリーダー・探幽が描いた障壁画を筆頭に、彫刻欄間や天井板絵など、贅の限りを尽くした内装は必見。

表書院（おもてしょいん）

春の風景が広がる上段之間や一之間など、部屋ごとに四季をイメージした花鳥図が描かれている。

湯殿書院（ゆどのしょいん）

将軍専用の浴室(湯殿)などからなる風呂場。現在のような湯船ではなく外にある釜で湯を沸かし湯気を内部に引き込むサウナ式蒸風呂である。

対面所（たいめんじょ）

藩主の私的なスペースとして、身内や家臣との対話や宴席、休憩などに利用した場所。「風俗図」が有名。

提供:名古屋城総合事務所

新旧のなごや味が集まる金シャチ横丁の楽しみ方

名古屋の食文化を発信する人気スポット。正門には義直ゾーン、東門には宗春ゾーンと、コンセプトの異なる2つのエリアが広がる。

義直ゾーン（よしなおぞーん）

尾張伝統の味覚を供する名店揃い

初代藩主・徳川義直から名付けられた正門側のエリア。伝統をテーマに、愛知を代表する老舗のグルメやショップが勢揃い。ここだけの限定メニューにも注目。

☎052-951-0788（金シャチ横丁事務局）住名古屋市中区三の丸1-2-3～5 ⏰10時30分～17時30分※時期、店舗により異なる 休名古屋城に準ずる 交地下鉄名古屋城駅7番出口から徒歩10分 P名古屋駅正門前駐車場 MAP付録P13A2

家康御膳

尾張蕎麦と、新鮮な食材を使用して作られる天ぷらや天丼、天むすが名物の「尾張蕎麦と天丼 徳川忠兵衛」。自家製の赤味噌ダレを使った味噌天丼など、名古屋らしさを感じさせるメニューもある

金シャチ横丁だんご 850円

老舗和菓子店・両口屋是清がプロデュースの甘味処「那古野茶屋」。自分で焼き目をつけ、醤油だれと甘だれのソースで楽しめる

宗春ゾーン（むねはるぞーん）

食の魅力を追求する注目店が並ぶ

第7代藩主・徳川宗春から名付けられた東門側のエリアには8店舗が軒を連ねる。新しいなごやめしとして話題を集める創作性の高いメニューを堪能しよう。

☎052-951-0788（金シャチ横丁事務局）住名古屋市中区二の丸1-2～3 ⏰11～22時※店舗により異なる 休名古屋城に準ずる 交地下鉄名古屋城駅7番出口からすぐ P二の丸駐車場 MAP付録P13B2

バイキングスモール 990円

なごやめしとして人気の「あんかけスパ」といえば名が挙がる人気店「あんかけ太郎」。定番のほか、台湾スパ スモール920円など、オリジナリティあふれるメニューがそろい踏み

忍者パフェ 1500円

"ついつい"撮りたくなるプリンやパフェが話題の「CAFE DINER POP★OVER」。自家製パンのポップオーバーを朝一で焼き上げ用意している

尾張藩主の2人と忍び衆からなる「徳川義直、宗春と忍び衆」が、歌や踊りのステージショーでお客さまをおもてなしします。

徳川美術館で尾張徳川家の国宝・大名道具を拝見しましょう

尾張徳川家の領地として、名古屋は文化的にも栄えました。
武具や茶道具、奥道具など、雅な大名道具は圧巻です！

とくがわびじゅつかん
徳川美術館

ゆっくりまわって約120分

尾張徳川家の遺愛品を所蔵

徳川家康の遺品をはじめ、初代義直から代々受け継がれた尾張徳川家の大名道具を収める美術館。国宝に指定される『源氏物語絵巻』や「初音の調度」を筆頭に、国宝9件、重要文化財59件と圧巻の収蔵を誇る。2～4月に行われる「尾張徳川家の雛まつり」展をはじめ、さまざまな展覧会を開催。企画展により展示内容が異なるため、公式サイトなどで随時確認を。

☎052-935-6262 住名古屋市東区徳川町1017 ¥1600円 ⏰10～17時(入館は～16時30分) 休月曜(祝日の場合は翌平日)、12月中旬～年始 P17台 交JR大曽根駅から徒歩10分 MAP付録P12F2

あかじしっぽうにやつでもんからおり
赤地七宝に八ツ手文唐織
【江戸時代 17世紀】

▼能装束を代表する唐織の装束。色糸や金銀糸を織り込み絢爛豪華

☞ 第四展示室

第一展示室

武具や刀剣を展示。入ってすぐのスペースでは、大名家で行われていた「具足飾り」を再現する。七振の国宝を含む刀剣コレクションも圧巻。

第二展示室

大名らの間で流行し、競って蒐集された茶道具の数々を展示。展示室には名古屋城二之丸御殿にあった猿面の茶室も復元されている。

第三展示室

名古屋城二之丸御殿の広間と上段の間の一部を復元して紹介。床の間、違い棚などに花生や香炉といった諸道具が飾りつけられている。

くまげうえくろいとおどしぐそく
熊毛植黒糸威具足
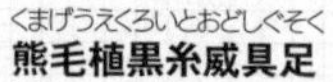
【桃山～江戸時代 16～17世紀】

▼徳川家康が着用した具足。水牛の角をかたどった奇抜な兜が特徴

☞ 第一展示室

はくてんもく
白天目
【室町時代 16世紀】

▲室町時代の茶人・武野紹鷗が所持したと伝わる。国の重要文化財

☞ 第二展示室

せいじこうろ めい ちどり
青磁香炉 銘 千鳥
【南宋時代 13世紀】

▼石川五右衛門が秀吉の寝所に忍び込んだ際に蓋の上の千鳥が鳴いたと伝わる

☞ 第三展示室

※紹介の作品は展示のない場合もあります

食と文化を楽しめます！
館内の日本料理店
「宝善亭（ほうぜんてい）」

美術館敷地内にある趣深い日本料理店。季節の小鉢や天ぷらなどが付くランチは2200円～、夜会席は予約制で1万1000円～。美術館に入館しなくても利用することができます。
☎052-937-0147 MAP付録P12F2
※料金変更の予定あり

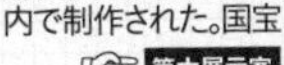

げんじものがたりえまき
源氏物語絵巻
【平安時代 12世紀】
▶現存最古の源氏絵の遺例。平安時代の宮廷内で制作された。国宝
第六展示室

第四展示室
名古屋城二之丸御殿の能舞台を原寸大で復元した空間。演能に用いられた能面や、豪華な能装束、道具類などが展示・紹介されている。

第五展示室
公的な場で用いる表道具に対し、大名の夫人たちが生活の場で使用した奥道具を紹介。婚礼の際の調度類や遊戯具などが並ぶ。

第六展示室
日本美術を代表する国宝『源氏物語絵巻』を紹介する展示室。基本は複製・映像での紹介が中心だが、原本が展示されることも！

はつねのちょうど
初音の調度
【江戸時代 寛永16年（1639）】
◀三代将軍家光の娘である千代姫が婚嫁する際に持参した調度。国宝
第五展示室

おみやげはココで！

ミュージアムショップ
🕒休 美術館に準ずる
（ショップのみなら入館料不要）

マーキングクリップ
各550円
▶葵紋、大名行列、雛ほかの5種類。ブックマークにもピッタリだ

図録バッグ
920円
◀A4サイズのしっかりした図録バッグは日常でも大活躍

徳川美術館では毎日3～4回、所定の時間に、ボランティア解説員によるガイド（無料）があります。

尾張の国を表現した徳川園は 春の牡丹や秋の紅葉も見事です

徳川園は尾張国の自然景観を表現した風情ある日本庭園です。
四季折々に見せてくれる庭園美をゆっくり愛でてみませんか。

徳川園（とくがわえん）

ゆっくりまわって約60分

広大で趣ある日本庭園

尾張徳川家の二代藩主・光友の隠居所跡に造営された池泉回遊式の日本庭園。季節の花々や、高低差のある地形や滝、樹林、立体的な岩組などを生かして、自然美を描き出した美しい庭園風景を見せてくれる。隣接する徳川美術館と併せて、近世武家文化を体感してみたい。

☎052-935-8988 住名古屋市東区徳川町1001 ¥300円 ⏰9時30分～17時30分（入園は～17時）※催事などにより変更あり 休月曜（祝日の場合は翌平日） P79台（25分100円） 交JR大曽根駅から徒歩10分 MAP付録P12F2

start

1 黒門（くろもん）
徳川園の入口にある門。尾張徳川家の邸宅の遺構で、武家の面影を伝える総ケヤキ造りが厳か

3 龍仙湖（りゅうせんこ）
海に見立てられた龍仙湖は、池泉回遊式庭園の中心的存在。湖に浮かぶ島を渡って回遊できる

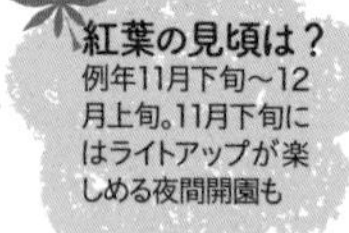

紅葉の見頃は？
例年11月下旬～12月上旬。11月下旬にはライトアップが楽しめる夜間開園も

2 龍門の瀧（りゅうもんのたき）
鯉が滝を登りきって龍になったという登竜門伝説に基づく滝。20分に一度、滝の水量が増す仕掛け

江戸下屋敷の龍門の瀧は、一定の時刻になると激流に変わり、下流の飛び石を水に沈めるという趣向が凝らされていた。園遊会に招かれた将軍や大名たちが驚き、楽しんだという。

©徳川美術館蔵

龍仙湖を望めます！「ガーデンレストラン徳川園」

徳川園の緑豊かな自然と、壮大な「龍仙湖」を望みながら、伝統と新しさが融合したフレンチを味わえる。ランチコース6655円～、ディナーコース平日9680円～、土・日曜、祝日1万6940円～。
☎052-932-7887 MAP付録P12F2

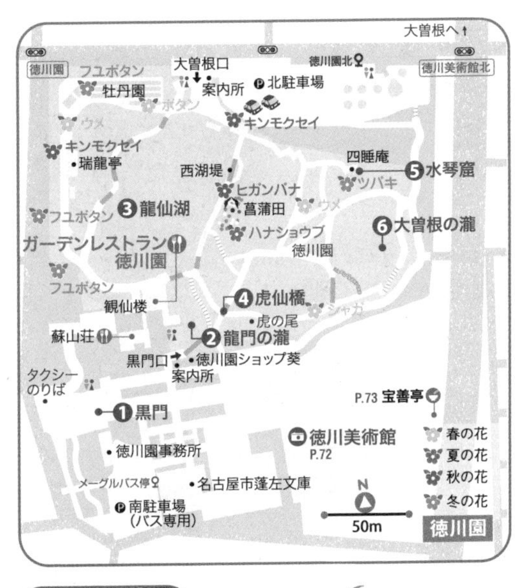

6 大曽根の瀧（おおぞねのたき）

虎の尾を上った先にある落差6mの三段の滝。各段で岩組みが異なり、変化に富んだ水の流れを見せる

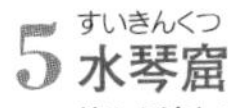

4 虎仙橋（こせんきょう）

深山幽谷の渓谷美を表現した虎の尾に架かる檜造りの橋。橋の上からは虎の尾や龍仙湖を一望できる

5 水琴窟（すいきんくつ）

筧から流れ出る水が地中に埋めた甕と共鳴する、凛とした音色を静けさのなかで楽しむ

goal

毎週金～日曜と祝日の10時30分～11時30分、13～15時は、ボランティアガイドによる庭園ガイド（無料）を行っています。

大正時代のレトロ建築が残る文化のみち・白壁エリア

町並み保存地区の白壁界隈には、大正時代の邸宅が残っています。閑静な通りをゆっくり歩いて、時代の息吹を感じてみては？

start

地下鉄名城線
名古屋城駅

徒歩8分

ゆっくりまわって約180分

▲赤レンガと白い花崗岩を組み合わせたネオ・バロック様式の資料館

名古屋市市政資料館
なごやししせいしりょうかん

荘重で華やかな文化遺産

大正11年(1922)に建設された裁判所を市の公文書館として利用。国の重要文化財である復原会議室と中央階段室のステンドグラスは必見。

☎052-953-0051 住名古屋市東区白壁1-3 ¥無料 ⏲9～17時 休月曜（祝日の場合は翌平日）、第3木曜（祝日の場合は第4木曜） P12台 交地下鉄名古屋城駅2番出口から徒歩8分 MAP付録P13C3

徒歩8分

徒歩2分

旧豊田家の門・塀
きゅうとよだけのもん・へい

武家屋敷風の趣ある門塀

大正7年（1918）ごろに建てられた、トヨタグループの創業者・豊田佐吉の娘婿、利三郎の邸宅跡。現在は門と塀のみが現存し、黒板塀と門は風格あるたたずまい。

住名古屋市東区白壁4-20 ¥⏲休外観見学自由 Pなし 交地下鉄名古屋城駅2番出口から徒歩16分 MAP付録P13C2

▼邸内の装飾にも趣向が凝らされている

▼洋館の奥に和風の建築が続いている

旧豊田佐助邸
きゅうとよださすけてい

和洋折衷のレトロ建築

豊田佐吉の弟、佐助の邸宅。白いタイル貼りの木造洋館と和館を併設した珍しい建築スタイル。鶴亀にとよだの文字をデザインした換気口をはじめ邸内の細かな意匠にも注目して。

☎052-678-2220（名古屋まちづくり公社）
住名古屋市東区主税町3-8
¥無料 ⏲10時～15時30分 休月曜（祝日の場合は翌平日） Pなし 交地下鉄高岳駅1番出口から徒歩15分 MAP付録P12D2

▼市の都市景観重要建築物に指定されている旧豊田家の門・塀

歴史ある邸宅で食事「レストラン デュボネ」

旧春田鉄次郎邸を利用したレストラン。市の伝統的建造物に指定される空間で和テイストを取り入れた創作フレンチが楽しめます。コースはランチ3993円～、ディナー7018円～。
☎052-936-1477 MAP付録P13D2

▼門をくぐって奥に見学者用の入口がある

きゅうはるたてつじろうてい
旧春田鉄次郎邸

モダンな洋風数寄屋普請

陶磁器貿易商として成功を収めた春田鉄次郎の住宅。設計は近代日本を代表する建築家の武田五一といわれる。一部一般公開され、1階にはフランス料理「レストラン・デュボネ」がある。
☎052-678-2220（名古屋まちづくり公社）住名古屋市東区主税町3-6-2 ¥無料 ⏰10時～15時30分 休月曜（祝日の場合は翌平日）Pなし 交地下鉄高岳駅1番出口から徒歩15分 MAP付録P13D2

ぶんかのみちしゅもくかん（きゅういもとためさぶろうてい）
文化のみち橦木館（旧井元為三郎邸）

瀟洒な和・洋館を見学

輸出陶磁器商の井元為三郎が建てた歴史ある和洋館を用いた市の文化施設。ステンドグラスをはじめ館内には往時の趣ある姿が残る。
☎052-939-2850 住名古屋市東区橦木町2-18 ¥200円 ⏰10～17時 休月曜（祝日の場合は翌平日）交地下鉄高岳駅1番出口から徒歩10分 Pなし MAP付録P12D3

◀定期的にイベントも開催する

徒歩2分

▼国内初の住宅専門会社「あめりか屋」が設計

ぶんかのみちふたばかん（なごやしきゅうかわかみさだやっこてい）
文化のみち二葉館（名古屋市旧川上貞奴邸）

文化人が集ったサロン

日本初の女優・川上貞奴（かわかみさだやっこ）と、「電力王」の異名をとった実業家・福沢桃介がともに暮らした家。和洋折衷の斬新で豪華な邸宅は、政財界人や文化人が集い「二葉御殿」とよばれた。
☎052-936-3836 住名古屋市東区橦木町3-23 ¥200円 ⏰10～17時 休月曜（祝日の場合は翌平日）P10台（1回300円、30分以内は無料）交地下鉄高岳駅2番出口から徒歩10分 MAP付録P12D3

名古屋セレブが多く住む白壁。このエリア在住のマダムは「シラカベーゼ」ともよばれます。

天下統一の夢は愛知から戦国時代を制した三英傑

天下取りを果たした信長・秀吉・家康はいずれも愛知県の出身。同時代を生きた3人のカリスマ武将の足跡をたどってみましょう。

織田信長

戦国時代ナンバーワンの奇才

長興寺蔵／(画像協力)豊田市郷土資料館

戦国時代を牽引した天才武将。名古屋城の前身・那古野城で育った信長は、若き日には奇抜な衣装で野山を駆けまわり大うつけとよばれていたのは有名な話。桶狭間の戦いを機にライバルを次々と破り、天下統一に王手をかけたが、明智光秀の本能寺の変により自刃。

万松寺
ばんしょうじ

信長の父・信秀が織田家の菩提寺として天文9年(1540)に建立し、名古屋城築城の際に現在地へ移転。本堂にはからくり人形があり、桶狭間の戦いで信長が舞った「敦盛」などを再現している。☎052-262-0735 住名古屋市中区大須3-29-12 ¥🕒休境内自由 交地下鉄上前津駅8番出口から徒歩3分 P隣接有料駐車場利用 MAP付録P11C2

大須・新天地通りにある

豊臣秀吉

下克上を体現した希代の出世頭

画像提供／名古屋市秀吉清正記念館

尾張国に生まれ、織田信長に仕えて頭角を現した戦国一の出世頭。本能寺での明智光秀の謀反により信長亡き後は、すかさず光秀を討ち、天下取りに乗り出す。それからわずか8年後の天正18年(1590)、ついに天下統一を果たした。

豊國神社
とよくにじんじゃ

明治18年（1885）に秀吉の生誕地に創建。5月の「太閤祭り」では、頭巾行列や子どもの成長を願う稚児行列などが行われる。毎月9のつく日（9、19、29日）は、参道で「九の市」が催される。
☎052-411-0003 住名古屋市中村区中村町木下屋敷 ¥🕒休境内自由(開門は8時30分～16時30分) 交地下鉄中村公園駅3番出口から徒歩10分 Pなし MAP付録P3A2

秀吉公を祀る社殿には肖像画も掲げられている

徳川家康

最後に笑った江戸幕府の開祖

画像提供／三河武士のやかた家康館

松平家の当主の子として、三河国・岡崎城に生まれる。不遇の幼少時代を過ごすが、信長が今川義元を討つと岡崎に戻り城下町を築いた。秀吉亡き後、関ヶ原の合戦で大勝利を収め天下人に。その後江戸幕府を樹立し、以来約260年間もの長きに渡り太平の世の礎を築いた。

名古屋城
なごやじょう

慶長15年（1610）、家康の命により築城を開始。家康の9男義直を初代藩主とする名古屋城は、昭和5年（1930）に城郭として国宝第一号に指定。現在は、国の特別史跡に指定されている。
DATA ☞ P68参照

1534	織田信長、尾張国に誕生
1537	豊臣秀吉、尾張国に誕生
1542	徳川家康、三河国に誕生
1554	秀吉、信長に仕官
1560	信長、桶狭間の戦いで今川氏を討つ
1576	安土城築城
1582	本能寺の変で信長自刃(享年49)
1582	秀吉、山崎の戦いで光秀を討つ
1583	大阪城築城
1584	小牧・長久手の戦いで秀吉と家康が激突
1598	秀吉、伏見城で死去(享年62)
1600	関ヶ原の戦い
1603	家康、江戸幕府を開府
1614	大坂冬の陣
1615	大坂夏の陣(豊臣氏滅亡)
1616	家康、駿府城で死去(享年75)

※年齢は数え年

桶狭間古戦場公園
おけはざまこせんじょうこうえん

信長が今川義元を破った桶狭間の合戦地。今川軍の約10分の1の兵力で勝利した信長は、その勢いで天下統一の主役に躍り出た。周辺には関連遺跡が点在する。

☎052-755-3593(桶狭間古戦場観光案内所)住名古屋市緑区桶狭間北3 ¥営休散策自由 交名鉄有松駅から市バスで「桶狭間古戦場」下車、徒歩1分 P桶狭間古戦場観光案内所にあり(5台) MAP付録P3C4

1 桶狭間古戦場公園は、合戦当時の地形を模した造りになっている 2 公園には信長と義元の銅像が立つ

清洲城
きよすじょう

21歳からの約10年間、信長が居城。桶狭間の戦いもここから出陣し天下取りの礎を築いた。平成元年(1989)に城跡付近を流れる五条川の対岸に、三重四階建の天主を再建。

☎052-409-7330(清洲城管理事務所) 住清須市朝日城屋敷1-1 ¥400円 営9時～16時15分 休月曜(祝日の場合は翌日)、12月29～31日 交JR清洲駅・名鉄新清洲駅から徒歩15分 P120台 MAP付録P3A1

天主内では、清須市の歩んだ歴史や、信長の功績などを展示している

名古屋市秀吉清正記念館
なごやしひでよしきよまさきねんかん

中村区出身の豊臣秀吉と加藤清正に関する資料を収集展示。常設展では信長の登場から関ヶ原の戦い、豊臣家が滅亡した大坂の陣までを、5つのテーマで紹介。

☎052-411-0035 住名古屋市中村区中村町茶ノ木25 ¥無料 営9時30分～17時 休月曜(祝日の場合は翌平日)、第4火曜(祝日の場合は開館) 交地下鉄中村公園駅3番出口から徒歩10分 P共同26台 MAP付録P3A2

1 中村公園文化プラザ2階 2 秀吉、清正の肖像画を常設展示

三菱UFJ銀行 貨幣・浮世絵ミュージアム
みつびしゆーえふじぇいぎんこう かへい・うきよえみゅーじあむ

貨幣展示室では、現存3枚という豊臣秀吉が作らせた「天正沢瀉(おもだか)大判」や世界最古の貨幣「古代中国の貝貨」など日本および世界各国の貨幣を常設展示している。浮世絵展示室では、歌川広重が描いた東海道を中心とした浮世絵版画の企画展を開催。

世界各国の貨幣を展示

☎052-300-8686 住名古屋市中区錦3-21-24 三菱UFJ銀行名古屋ビル1階 ¥無料(団体見学は要予約) 営9～16時(入館は～15時30分) 休祝日 交地下鉄伏見駅3番出口から徒歩5分 Pなし MAP付録P9C3

徳川園
とくがわえん

尾張徳川家の邸宅跡にある日本庭園。尾張徳川家に代々伝わるコレクションが所蔵される徳川美術館も隣接している。

DATA☞P74参照

岡崎城
おかざきじょう

天文11年(1542)に家康が誕生した城。19～28歳まで当城を拠点とした。天守閣は明治時代に取り壊されたが、昭和34年(1959)に復興。城内は歴史資料館。

☎0564-22-2122 住岡崎市康生町156-1 ¥300円 営9～17時(入館は～16時30分) 休無休 交名鉄東岡崎駅から徒歩15分 P150台 MAP付録P2C3

天守閣や大手門なども復興

写真提供:岡崎市

これしよう！

MIRAI TOEWR周辺をのんびり散策

おしゃれなショップが集うHisaya-odori Park（☞P84）や新しくできた中日ビル（☞P85）でショッピングを。

これしよう！

自慢の一杯でホッとひと息♪

喫茶文化が色濃い名古屋で、豆にこだわった専門店の味をぜひ（☞P88）。

これしよう！

ランドマークは外せない！

栄のシンボル・オアシス21と中部電力 MIRAI TOWERは必見（☞P84、85）。

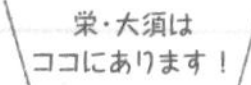

デザイン都市・名古屋の情報発信地

栄・大須

さかえ・おおす

大須にはかわいい雑貨店も多い（☞P92）

こんなところ

栄はデパートやファッションビルが集まる最先端のショッピングエリアで、おしゃれなカフェや飲食店も充実する名古屋一の繁華街。一方の大須は、大須観音の門前町として賑わい、老舗飲食店から古着店、電気街まで多ジャンルが混在している。両エリアともじっくり歩いてまわりたい。

access

●名古屋駅から
名古屋駅から地下鉄東山線で伏見駅まで3分、栄駅まで5分、地下鉄東山線・鶴舞線で大須観音駅まで11分

●栄から
地下鉄栄駅から地下鉄名城線で矢場町駅まで1分、上前津駅まで3分

問合せ
☎052-963-5252
オアシス21iセンター

広域MAP 付録P8～11

～栄・大須　はやわかりMAP～

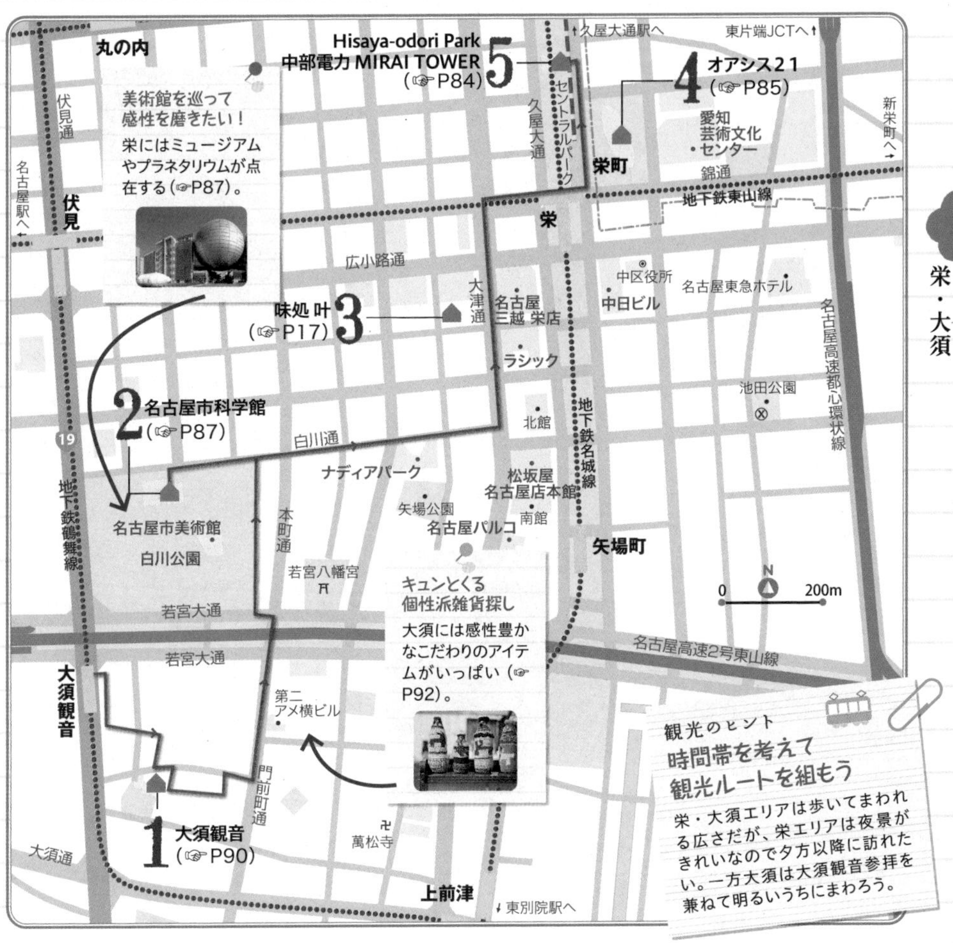

観光のヒント
時間帯を考えて観光ルートを組もう

栄・大須エリアは歩いてまわれる広さだが、栄エリアは夜景がきれいなので夕方以降に訪れたい。一方大須は大須観音参拝を兼ねて明るいうちにまわろう。

おすすめコースは
5時間

大須を出発して栄まで歩いてみよう。美術館に立ち寄り、商店街やファッションビルを巡りながらの買い物も楽しい。日が沈むころには二大ランドマークのライトアップが始まる。

上中部電力 MIRAI TOWER(P84)とオアシス２１(P85)　下左から：大須観音(P90)、ふれあい広場の大須招き猫(P91)、大須商店街、モノコト(P93)

オアシス21と中部電力 MIRAI TOWERは創造都市、栄のシンボル

デザイン都市・名古屋を牽引するアートスポットや個性派ショップが並ぶ感性豊かな人々が集まる栄・大須。街を歩くだけで元気になれます。

左から：今日実(P95)、中部電力 MIRAI TOWER(P84)、万松寺(P78)、西原珈琲店 栄店(P88)、中部電力 MIRAI TOWER(P84)

名古屋のランドマークが集まる MIRAI TOWER周辺をおさんぽ

栄の中心に広がる久屋大通公園をはじめ、栄市民が集まる定番スポットが集結。食べて、歩いて、名古屋を楽しみ尽くしましょう。

久屋大通駅

徒歩すぐ

1 中部電力 MIRAI TOWER

ちゅうぶでんりょく みらい たわー

名古屋の街を一望できる

国の重要文化財に指定されている名古屋のシンボル。ショップやホテル、飲食店などが入り、たっぷり遊べる。

☎052-971-8546 住名古屋市中区錦3-6-15先 ¥入場無料（展望台は1300円ほか）◷施設により異なる 休年2回メンテナンス休館あり 交地下鉄久屋大通駅4B出口からすぐ Pなし MAP付録P8E2

❶全国のタワーで初めて国の重要文化財に指定された名古屋のシンボル ❷地上90mにある屋内展望台「スカイデッキ」 ❸2階「lily」では、Hisaya-odori Parkを眺めながら、絶品フレンチが楽しめる

2 Hisaya-odori Park

ひさや おおどおり ぱーく

栄の中心に広がるエンタメスポット

久屋大通に南北約1kmにわたる園内に、約40の店が集まる新しいスタイルの都市型公園。個性の異なる4つのゾーンに分かれて、散策しながらショッピングやグルメを楽しめる。中部電力 MIRAI TOWERを映す水盤など、フォトジェニックなポイントも多い。

☎052-265-5575 住名古屋市中区丸の内3ほか ¥◷休入場自由（飲食・物販店は店舗により異なる）交地下鉄久屋大通駅4B出口からすぐ Pセントラルパーク駐車場570台（30分300円※購入金額に応じて駐車サービス券あり）MAP付録P8E2

▶敷地内の芝生でのんびり過ごせる

ZONE 2

PEANUTS Cafe 名古屋

「PEANUTS」の世界観を感じさせるアートワークが店内の随所にちりばめられた楽しい空間。グッズも充実しており、名古屋限定の品も多い。

☎052-211-9660

❶ペリカンズのマンゴーパフェ1320円 ❷ピーナッツフレンズバーガー2530円。PEANUTSにゆかりのあるアメリカの定番ハンバーガー

ZONE 1

天狼院書店「名古屋天狼院」

本だけでなく、ゼミ・イベントを通じて「本のその先の体験」を提供。カフェも併設している。

☎052-211-9791

❶名古屋に関連する書籍も多く揃う ❷南北に長い公園の最北にある

徒歩6分

▲井戸水が張られた屋根の上を歩ける「水の宇宙船」

③ オアシス21
おあしすにじゅういち

居心地のよい都心のオアシス

水が流れるガラスの大屋根「水の宇宙船」がシンボルの地上と地下が一体になった立体型公園。芝生の公園「緑の大地」や、さまざまなイベントが開催される「銀河の広場」のほか、飲食店や物販店が約30店舗集まり、多彩な楽しみ方ができる。

☎052-962-1011 住名古屋市東区東桜1-11-1 ◷店舗により異なる 休無休（店舗は年2回点検時） 交地下鉄栄駅4A出口直結 Pなし MAP付録P8E2

街の中心に人々が集う SAKAE HIROBAs

栄の新たなコミュニケーションスペース。イタリアンレストランやアートギャラリーのほか、イベントなども実施。
MAP付録P8E3

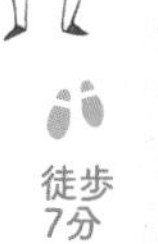

徒歩7分

④ 中日ビル
ちゅうにちびる

栄のランドマークビル

▲地下5階、地上33階建て

ショップやレストランのほか、オフィスやホテルも集う複合ビル。7階にある屋上広場からは栄の街を一望できる芝生広場が。

☎052-263-7050 住名古屋市中区栄4-1-1 ◷ショップ10〜23時、レストラン11〜22時 休無休 交名鉄栄町駅から地下街で直結 P225台 MAP付録P8E3

1F

ブルーボトルコーヒー 名古屋栄カフェ

◀ドリップコーヒー594円〜

ブルーボトルコーヒーの中部地方1号店。「プリン・ア・ラ・モード」は名古屋栄カフェ限定。◷8〜20時（19時30分LO）

▶プリン・ア・ラ・モード オリジナル990円

2F

文喫 栄

「本屋と大喫茶ホール」をテーマにした空間で、名古屋に根付く文喫を楽しむことができる。
◷7時30分〜21時（20時LO）

徒歩7分

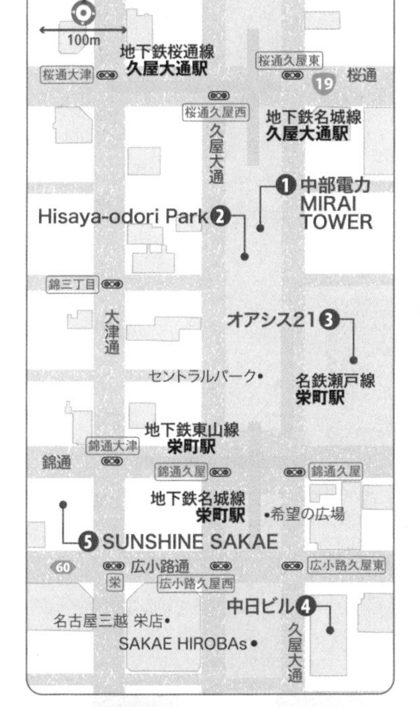

⑤ SUNSHINE SAKAE
さんしゃいん さかえ

名古屋のエンタメが集まる複合施設

高さ52m、直径40mの大型観覧車がある複合施設。アミューズメントや飲食店など多彩な店が集結。SKE48劇場もあり、栄のエンタメを知るうえでは外せない。

☎052-310-2211 住名古屋市中区錦3-24-4 ◷7〜24時（店舗により異なる） 休不定休（店舗により異なる） 交地下鉄栄駅8番出口直結 P54台（30分300円） MAP付録P8D3

▲観覧車は乗車1名600円、12〜22時（最終搭乗21時45分）

徒歩すぐ

GOAL! 栄駅

中部電力 MIRAI TOWER内2階「1i1y」ではアフタヌーンティー（4500円、要予約）で優雅なひとときを過ごせます。

美しいアートや科学に触れに栄で人気のミュージアムへ

デザイン都市の名古屋には、お洒落なミュージアムがいっぱい。
美術館にプラネタリウムに、感性を磨く旅に出かけましょう。

Museum*01

なごやしびじゅつかん

名古屋市美術館

所蔵品約9500点！
世界的名作も多数あり

地元出身の建築家・黒川紀章の設計による美術館。エコール・ド・パリ、メキシコ・ルネサンス、郷土の美術、現代の美術の4部門に沿って収集。じっくり鑑賞するなら金曜の夜がおすすめ。

☎052-212-0001 住名古屋市中区栄2-17-25 白川公園内 ¥常設展300円 ◷9時30分～17時（祝日を除く金曜は～20時）休月曜（祝日の場合は翌平日）交地下鉄伏見駅5番出口から徒歩8分 Pなし MAP付録P9B4

静かな空間で名画と向き合いたい

緑豊かな白川公園の中に立っている。国内外の現代彫刻など、屋外作品も多い

見つけた！ミュージアムグッズ

◎ミュージアムショップ
併設のショップでは、所蔵作品の『おさげ髪の少女』をモチーフにしたツボ押しが人気。

おさげツボ押し1100円

高橋由一「不忍池」1880年頃

栄駅からすぐのところにある

グスタフ・クリムト「人生は戦いなり（黄金の騎士）」1903年

Museum*02

あいちけんびじゅつかん

愛知県美術館

複数のアート施設が揃う
芸術文化センター内の美術館

平成4年（1992）に愛知芸術文化センターの10階に開館した美術館。グスタフ・クリムト、パブロ・ピカソ、ピエール・ボナールの作品など、20世紀以降の国内外の美術品が多く揃う。

☎052-971-5511 住名古屋市東区東桜1-13-2 交名古屋市営地下鉄栄駅から徒歩3分 P愛知芸術文化センター駐車場利用512台 MAP付録P8E2

国内唯一の国際女性映画祭
「あいち国際女性映画祭」

平成8年(1996)から毎年開催。2022年は9月8〜11日の4日間に国内外で活躍する女性監督作品の上映やトークイベントが開かれた。詳細はwww.aiwff.comを参照。
MAP付録P13C3

プラネタリウムの内部

Museum*03

なごやしかがくかん
名古屋市科学館

圧巻の映像や実験で科学のすごさを体感

世界最大級のドームに最新鋭投影機を使って星空を描き出すプラネタリウムが目玉。高さ9mの竜巻を人工的に発生させる「竜巻ラボ」など、ビックスケールの迫力で体感する大型展示も人気だ。

☎052-201-4486 住名古屋市中区栄2-17-1芸術と科学の杜・白川公園内 ¥展示室とプラネタリウム800円ほか 🕒9時30分〜17時(最終入場16時30分) 休月曜(祝日の場合は翌平日)、第3金曜(祝日の場合は第4金曜) 交地下鉄伏見駅4・5番出口から徒歩5分 Pなし MAP付録P9B4

巨大な球体内が世界最大級のプラネタリウムドーム「NTPぷらねっと」

迫力満点の竜巻ラボ。1日3回(土・日曜、祝日は4回)、所要15分

見つけた！ミュージアムグッズ

◎Museum Shop Scientia
店内は「アイジンガー・プラネタリウム」をイメージした空間となっており、天体や宇宙商品、日常生活に取り入れやすいサイエンスアイテムを数多く取り揃えている。

Scientiaトート冬の星座1900円(左)、星座早見盤1300円(右)

◎ミュージアムカフェ
壮大な宇宙をイメージした人気の「宇宙ラーメン」、プレミアム生ソフトクリーム「クレミア」など、フードからスイーツまで豊富なメニューが揃う。

カフェでひと休み

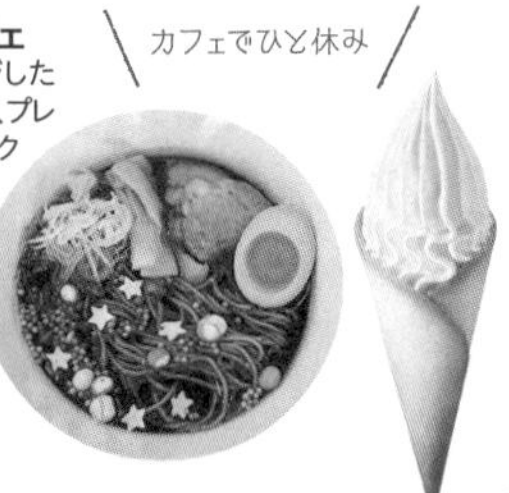

「デザイン都市」とは、ユネスコにより、デザイン事業が盛んな都市として認定されたもの。日本では名古屋と神戸が認定されています。

コーヒーの香りに包まれて 大人カフェでやさしい時間を

都道府県別の喫茶店数で全国2位、世帯あたりの年間に使う喫茶代も全国2位！
そんな喫茶店王国・名古屋が誇る特別なコーヒーを召し上がれ。

注文後に豆を挽き、1滴ずつ時間をかけて抽出

豆のこだわり
神戸市の名店・萩原珈琲の個性ある炭火焙煎豆をセレクト

大須

かふぇ せれーさ

CAFE CEREZA

静かな空間で華やかな一杯を 大須の隠れ家で愉しむ

照明を落としたほの暗い大人の空間で味わう、豆を挽くタイミング、湯の温度や注ぎ方、カップなど、すべてを計算し尽くしたコーヒーで至福の時間を過ごせる。炭火焙煎のパイオニア・神戸の萩原珈琲の豆を使ったブレンドコーヒー1500円～。

☎非公開 住名古屋市中区大須3-27-32 ◷12～20時（祝日は～18時）休日曜 交地下鉄上前津駅12番出口から徒歩5分 Pなし MAP付録P11C2

期間数量限定コーヒー2500円。マイセンのカップで

ピンスポットが灯り、まるでバーのよう

栄

にしはらこーひーてん さかえてん

西原珈琲店 栄店

都心の喧騒とは無縁の 老舗コーヒー専門店

注文ごとに豆を挽き、1杯ずつ抽出する炭焼きコーヒーが味わえる。「豆は鮮度が大切」と、週に2回必要な量だけを仕入れている。ブレンド600円。豆は購入もできるがブレンド以外は予約がベター。手作りのチーズケーキ500円なども人気。

☎052-951-3485 住名古屋市中区錦3-15-23八重ビル1階 ◷10～22時（21時40分LO）休無休 交地下鉄栄駅2番出口から徒歩1分 Pなし MAP付録P8D2

丁寧に1杯ずつ入れる

ビルの細い通路の奥にある隠れ家のような店

スペシャルブレンド650円とベイクドチーズケーキ「ダイゴ」500円

豆のこだわり
オーナーが吟味した炭火焙煎豆を使用。購入することもできる。ブレンド100g1200円～。お店で気に入った豆の注文もできる

加藤珈琲店の
あんこ入り！
「コーヒーぜんざい」

小倉あんが大好きな名古屋人。加藤珈琲店（☞下記）では白玉＆栗入りぜんざいにコーヒーを注いで食べるコーヒーぜんざい605円も名物です。小倉の甘さでコーヒーの香りと苦みが引き立ち、クセになるおいしさです。

栄
かふぇ ゔぁんさんぬ どぅ

café vincennes deux

落ち着いたレトロな空間で上品な苦みと香りを楽しむ

2年間じっくりと乾燥・熟成させた豆を深煎りに焙煎し、ネルドリップ式で入れたエイジングコーヒーが自慢。ブレンドは2杯目から割安で、注文を受けてからオーブンで焼く、焼きたてHOTアップルパイ650円（アイスは+150円）と一緒にどうぞ。

☎052-963-8555 住名古屋市中区錦3-6-29 サウスハウス地下1階 🕒11～23時（日曜は～22時30分、ランチは11時30分～14時）休無休 交地下鉄栄駅2番出口から徒歩2分 Pなし MAP付録P8D2

その日の温度や湿度によって豆の挽き方、粗さなどを調整し、上品な苦みと香りを引き立てる

豆のこだわり

モカとコロンビアベースの2種類を扱う。豆の販売100g700円～もある

レジェブレンド600円と、人気の焼きたてHOTアップルパイ

フランスの田舎カフェをイメージしたという店内には、アンティーク調のインテリアが並ぶ

栄
かとうこーひーてん

加藤珈琲店

上質の豆をたっぷりと使ったうま味のあるコーヒー

国際品評会（COE）上位入賞豆をはじめ、常時20種類以上かつ焙煎してから5日程度の新鮮なスペシャルティコーヒーを提供。週末のモーニングは100分待ちの行列ができることも。通販サイトでは年間数十万件の注文を受ける。

☎052-951-7676 住名古屋市東区東桜1-3-2 🕒8～16時 休第3水曜（15日の場合は翌日）交地下鉄久屋大通駅3A出口から徒歩3分 Pなし MAP付録P8E1

モーニングの名古屋セット616円。行列に並んでも食べたくなるボリューム感たっぷりの名物メニュー

豆のこだわり

当日～翌々日に製造したものがほとんど。しゃちブレンド(200g1036円)は名古屋みやげにおすすめ！

桜通り沿いにあり、ガラス張りで入りやすい

名古屋喫茶定番の小倉トーストは、栄の「満つ葉」（現在は閉店）で、男子学生がトーストにぜんざいをのせて食べたのが始まりとか。

まるでおもちゃ箱のような世界、下町・大須でワクワク体験

大須観音の門前町として栄えた大須は昔ながらの町並み。
古着や雑貨、おしゃれなカフェなど、いろいろな店が集まっています。

上品な甘さと米粉のもっちりとしたやさしい食感が特徴の「青柳ういろう」各432円

大須観音のすぐ近くに立地

1 おおすかんのん 大須観音

まずは大須のシンボルへ

正式には北野山真福寺宝生院。徳川家康の命により、慶長17年（1612）に大須郷（現羽島市）から移築されたもので、日本三大観音の一つに数えられている。境内には、国宝の古事記の最古写本を含め、1万5000冊を所蔵する大須文庫も。

☎052-231-6525 住名古屋市中区大須2-21-47 ¥境内自由 🕒6～19時 休無休 交地下鉄大須観音駅2番出口から徒歩2分 Pなし MAP付録P11B2

境内東にあるからくり時計「宗春爛漫」。芸どころ名古屋の礎を作った徳川宗春がモチーフ。11・13・15・17時、18時30分に上演（約5分）

地元では"観音さん"とよばれ、親しまれている

2 あおやぎそうほんけ おおすほんてん 青柳総本家 大須本店

名古屋銘菓の代表格

創業は明治12年（1879）。ういろうを作り続けて140年という名古屋銘菓の老舗。職人が手作りで仕上げる生ういろうのほか、小倉サンドやカエルまんじゅう（☞P39）など人気商品が多く揃う。

☎052-231-0194 住名古屋市中区大須2-18-50 🕒10時～18時30分 休水曜（祝日の場合は営業）交地下鉄大須観音駅2番出口から徒歩3分 Pなし MAP付録P11B2

立ち寄りスポット

日本最大級のリユースデパート、コメ兵 名古屋店 本館

OA機器や電子部品などが集まる第1・第2アメ横ビル

織田信長ゆかりの万松寺（☞P78）にもお参りを

3 ぷー・こにゅ PEU・CONNU

花と緑に包まれた一軒家

商店街からひと筋入った裏通りにあるフラワーショップ。草花がフランスや日本の古道具と一緒にディスプレイされ、小さな一軒家が花と緑でいっぱいに。素朴な実を添えて引き立てたフラワーアレンジは、自宅用はもちろん、プレゼントにも最適。

☎052-222-8744 住名古屋市中区大須2-26-19 🕒11～18時 休日曜、祝日 交地下鉄大須観音駅2番出口から徒歩3分 Pなし MAP付録P11B2

庭やサンルームで育てた草花や鉢植えも

アンティークな家具や小物を使って、草花をより引き立てる

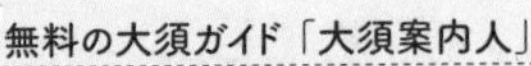

無料の大須ガイド「大須案内人」

ふれあい広場では、土・日曜の午後に、ボランティアの「大須案内人」が登場して、大須の楽しさ、おもしろさなどを紹介してくれます。

☎052-261-2287（大須商店街連盟）MAP付録P11C2（ふれあい広場）

5

まんはったんろーるあいすくりーむ なごやおおすてん

マンハッタンロールアイスクリーム 名古屋大須店

写真映えする形のアイスクリーム

−20℃以下のプレートの上で薄くのばしたアイスクリームを丸めた「ロールアイスクリーム」で話題の店。なめらかな口当たりが絶品。

☎なし 住名古屋市中区大須3-30-93 ⏰12～18時（土・日曜、祝日11～19時）休無休 交地下鉄上前津駅12番出口から徒歩5分 Pなし MAP付録P10D2

ストロベリーショコラ 900円

写真右から台湾唐揚げ、ラージャン唐揚げ各650円、タピオカジャスミンミルクティー450円

4

りさんのたいわんめいぶつやたいほんてん

李さんの台湾名物屋台本店

食感が人気の名物唐揚げ

4段階の辛さから好みが選べる名物台湾唐揚げ650円は特製の香辛料がクセになると評判。甘辛ソースとたっぷりネギのラージャン唐揚げ650円もおすすめ。

☎052-251-8992 住名古屋市中区大須3-35-10 ⏰12～18時（土・日曜、祝日11時～）休不定休 交地下鉄上前津駅8番出口から徒歩3分 Pなし MAP付録P11C2

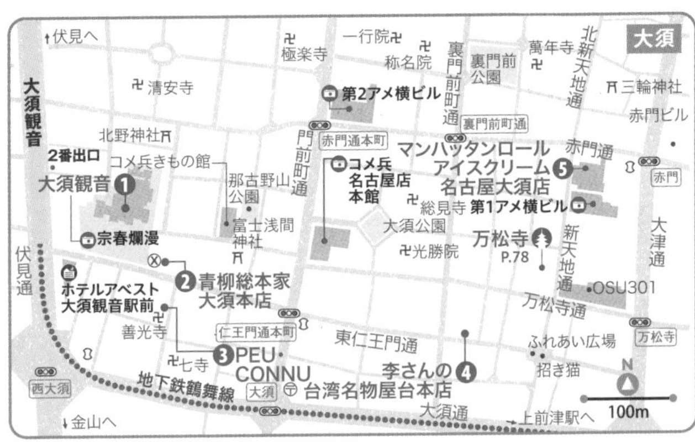

雑貨店の宝庫・大須で見つけたこだわりの手作りアイテム

個性派ショップが点在する大須でハンドメイドの雑貨店巡り。世界でたった一つの商品は、旅の思い出にぴったりです。

喫茶コーナーでは、作家の器で飲食ができる

上前津

ざ しょっぷ じゅうにかげつ

THE SHOP 十二ヵ月

作家と使い手を結ぶ暮らしのギャラリー

日常に使う上質なモノをテーマに、陶器やガラス、金工、木工、織などの工芸作品を扱うギャラリー。東海地区を中心に、継続して作品を生み出し続ける力のある作家の発掘に力を注ぎ、作る人と使う人をつなぐ場所になっている。器づかいのヒントになればと、作家の器で供する喫茶コーナーも併設。

☎052-321-1717 住名古屋市中区上前津1-3-2 ⏰10～18時（17時15分LO）休火曜 交地下鉄上前津駅7番出口から徒歩1分 Pなし MAP付録P11C3

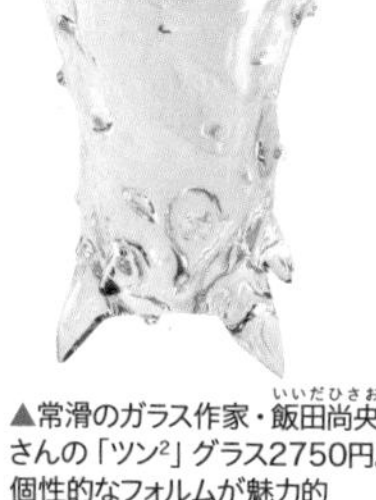

▲常滑のガラス作家・飯田尚央（いいだひさお）さんの「ツン²」グラス2750円。個性的なフォルムが魅力的

▶岐阜県多治見市の作家・渡辺均矢さんの象嵌マグカップ4400円。地を削って、色を埋める象嵌技法で制作された

◀名古屋市の金属工芸作家・水野正美さんの「銅のミルクパン（小）」2万6400円。1枚の銅板を鍛錬し丁寧に作り出す

キャンドルのあるライフスタイルを提案

大須

きゃんどる しょっぷ きなり

Candle shop kinari

手作りならではの温かみあるキャンドル

キャンドルアーティストの作品やキャンドル作りの材料を販売。手作りゆえに同じ色彩のものはふたつとなく、火を灯すとランタンのようにほわっとやさしく、違った表情を見せるのが魅力。キャンドル教室（1回3600円、所要2時間 ※要予約）も毎日開催している。

☎052-223-1050 住名古屋市中区大須2-1-32 ⏰12～19時 休火曜 交地下鉄大須観音駅2番出口から徒歩5分 Pなし MAP付録P11B1

▲スタッフによるハンドメイドのオリジナルキャンドル。3000円（左）、1300円（右）

▶キャンドル用アロマオイル30mℓ680円、100mℓ1400円

◀ボタニカルジェルキャンドル3000円

作家の作品が集まる「クリエーターズマーケット」

プロ・アマ含め4500人の作家が出店する中部地区最大級のイベント。あらゆるジャンルの作品が集結。例年ポートメッセなごや2・3号館で、6・12月に開催。www.creatorsmarket.com MAP付録P3A4

大須

ものこと

モノコト

オーナーの美意識が光る作家作品や骨董

大須観音の目の前に位置し、さまざまなジャンルの作家作品や骨董を扱っている。作家さんたちの個性ある作品は見ているだけでも楽しい。カフェスペースもあるので、ひと休みしながらお気に入りを見つけよう。また、ワークショップやライブなども開催しているので気軽に訪れたい。

☎052-204-0206 住名古屋市中区大須2-25-4久野ビル2階 🕒12〜21時 休不定休 交地下鉄大須観音駅2番出口から徒歩1分 Pなし MAP付録P11B2

▲深田庸子作「ひざをかかえて」6万円。作品が並ぶ店内からは大須観音が望める

▲小川チカコ作「赤のモザイク」4536円

▲小川チカコ作のガラスオブジェ「Pot Girl」(3点セット) 25万円(上)。深田庸子作の小さな木彫1800円〜(下)

▲渡邉亜沙子作「陶バッジ」(手前)1944円、「陶オブジェ」(奥)6480円〜

大須にはハンドメイドの雑貨店のほかに、若者に人気の安くてかわいい雑貨店も多いです。

栄・大須で一点モノ探しましょ、大人セレクトのヴィンテージ

古着店やアンティーク雑貨店が豊富に並んでいる栄と大須。
宝探しの気分で、自分だけの一点モノを探してみましょう。

毬をモチーフにした
ネックレス5900円Ⓑ

目を引くイエローとゆったりしたサイズ感がかわいいUSA製カレッジスウェット
5900円Ⓐ

コロクラフト
ヴィンテージピアス
3900円Ⓑ

刺繍テープやフックボタンなどの凝った装飾がポイントのVINTAGEノルディックカーディガン
9900円Ⓐ

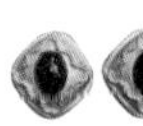

存在感のある大振りのVINTAGEイヤリング4400円Ⓐ

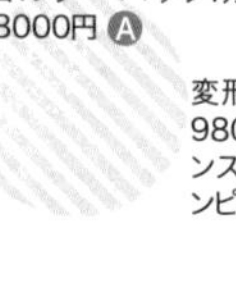

VINTAGE OLD COACHI レザーショルダーバック1万3000円Ⓐ

変形トレンチコート1万9800円、グラデーションストール7800円、ワンピース9800円などⒷ

大須
あーちゃー
Archer Ⓐ

厳選された古着が店内いっぱいに並ぶ

海外の古着屋に来たような雰囲気のレディス古着ショップ。年に数回、海外から買い付けているヴィンテージ古着やアクセサリーが数多く揃う。カジュアル、モード、ユーロヴィンテージ・アンティークを主体とした商品構成で、売り場には選ぶのに迷うほどのアイテムが並ぶ。衣類のほか、什器やドライフラワーなども販売していて、見ているだけでも楽しい。

☎052-212-7342 住名古屋市中区大須3-42-32 渋谷ビル1階 ◷13～19時(土・日曜、祝日12時～) 休不定休 交地下鉄上前津駅8番出口から徒歩4分 Pなし MAP付録P11C2

大須
じむのぺでぃあにごうてん
ジムノペディア2号店 Ⓑ

ヴィンテージアクセサリーでおしゃれ上級者に！

'60年代もののデッドストックを中心に、フランスやイタリアからアクセサリーと洋服を年に4～5回仕入れ、シーズンごとに新作を販売。なかでも大人っぽくシックなデザインが多いアクセサリーは要チェック。アンティークからデザイナーものまで幅広く揃い、値段も2000円前後～と手頃なのがうれしい。イタリアでオーダーして作る着心地抜群、スタイルがよく見えるオリジナルワンピースにも注目。

☎052-252-2883 住名古屋市中区大須3-34-2 ◷11～20時 休無休 交地下鉄上前津駅9番出口から徒歩3分 Pなし MAP付録P11C2

大須観音で毎月2回開催の骨董蚤の市に出かけよう！

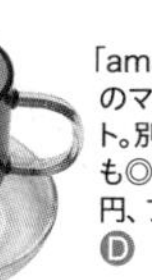

大須観音の境内で、毎月18・28日に骨董市が開かれます。全国から70～80の骨董店が集まり、国内や世界各国の家具や小物がずらり。日の出～日没で雨天決行。
MAP付録P11B2

掲載している商品は参考商品です。売り切れの場合もあるのでご注意ください。

アンティーク着物と帯5800円～、半襟780円～、華あげ3800円～など Ⓒ

「amabro」のガラス製のマグカップとプレート。別売りだがセットでも◎マグカップ2640円、プレート1760円 Ⓓ

「FIRMUM」のストライプスタンドカラーシャツ2万8050円 Ⓓ

渡り鳥や果物がプリントされた「ASEEDONCLÖ UD」のハンカチ4290円 Ⓓ

草履は鼻緒と履物台のフルオーダーで1万3800円～ Ⓒ

「Inswirl」の野生鹿革を使ったハンドバッグ2万2000円 Ⓓ

シルバーに金箔が施された「Jona」のリング1万5400円 Ⓓ

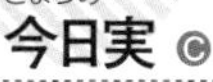

大須
きょうみ

今日実 Ⓒ

MY草履&下駄をオーダー

アンティーク着物の販売やレンタルで、着物通の間で知られる店。まちあるきものレンタルは着付けプチヘアセット込み7500円（税別）で、髪飾りから足袋・草履まで今日実オリジナルの日本製品をレンタルできる。また、200種類以上の鼻緒と30種類以上の履物台から自分の好みが選べる履物オーダーや着物の販売のほかに、日本製にこだわったオリジナル製品も販売している。

☎052-242-3478 住名古屋市中区大須4-11-44 チサンマンション7階 営10～20時 休無休（予約優先のため要予約）交地下鉄上前津駅10番出口からすぐ Pなし MAP付録P10D3

栄
あぱーとめんと すとあ

THE APARTMENT STORE Ⓓ

多彩なコンテンツを集めた複合型ショップ

アパレルやヨーロッパのミリタリーアイテム、アンティークウォッチ、喫茶スペース、ギャラリースペースなどを展開。併設した工場の古材を使用した家具のショールームもある。同ビル2・3階には姉妹店「STORE IN FACTORY」のアンティーク雑貨や家具が並び、こだわりのコンテンツが充実している。

☎052-212-7663 住名古屋市中区栄5-23-9 営11～19時 休無休 交地下鉄矢場町駅3番出口から徒歩6分 P1台 MAP付録P5C3

矢場町駅直結の「名古屋パルコ」と栄の「ラシック」(☞P98)には雑貨店が充実。ぜひのぞいてみましょう。

ココにも行きたい

名古屋駅周辺のおすすめスポット

JRセントラルタワーズ
じぇいあーるせんとらるたわーず

百貨店やホテルもある駅直結のタワー

高さ200mを超える2つのタワーからなる名古屋のランドマーク。ジェイアール名古屋タカシマヤや、名古屋マリオットアソシアホテル、レストラン街、オフィスなどが複合しており、多目的に利用できる。JRなど各線名古屋駅からのアクセスがスムーズなほか、「JRゲートタワー」とも連絡通路で直結し、さらに魅力が増す。DATA ☎052-586-7999(JRセントラルタワーズ)／052-566-1101(ジェーアール名古屋タカシマヤ) 住名古屋市中村区名駅1-1-4 営休施設・店舗により異なる 交JR名古屋駅直結 Pタワーズ一般駐車場1000台(30分350円) MAP付録P7C2

245mのオフィス棟と226mのホテル棟の2つのタワーで構成される超高層ビル

12・13階のレストラン街には和洋中の名店が

中茂
なかも

気軽になごやめしが楽しめる

"つけてみそかけてみそ"でおなじみのナカモが手がける立飲み酒場。築70年以上の旅館を改装した趣のある空間で、味噌料理が楽しめる。ランチタイムは味噌を使ったそばなどを提供。DATA ☎052-589-2317(名駅二丁目三番街) 住名古屋市中村区名駅2-43-10 営11～23時(22時30分LO) 休無休 交地下鉄名古屋駅1番出口からすぐ Pなし MAP付録P7C1

まろやかな甘みとコクのあるナカモの味噌を使用した味噌おでん

3つの飲食店が入居するネオ大衆酒場

タカシマヤ ゲートタワーモール
たかしまや げーとたわーもーる

JR名古屋駅に直結したショッピングモール

約170ものブランドが揃うファッションモールで、NYの朝食の女王とよばれるサラベスをはじめ、東海地区ではここにしかないショップも出店。女性にうれしい日本最大級のパウダーラウンジ(トイレ・パウダーコーナー)など設備も充実している。DATA ☎052-566-2202 住名古屋市中村区名駅1-1-3 営10～21時(一部店舗により異なる) 休不定休 交JR名古屋駅直結 Pタワーズ一般駐車場約1000台(30分350円) MAP付録P7C2

JRゲートタワーの地下1階から8階に展開

女性に配慮した人気のパウダーコーナー

ヒロヴァーナ
ひろうぁーな

名駅3丁目のビル地下の隠れ家イタリアン

オーナーシェフの廣澤さん自ら畑を耕すなど、東海地方の食材にこだわり、独創的な料理の数々で楽しませてくれる。愛知県産ソフトドリンクペアリングコース3300円も人気。DATA ☎052-990-1830 住名古屋市中村区名駅3-5-14 ジェイチル名駅地下1階 営ランチは12時スタート～14時30分、ディナーは18時、19時、20時スタート 休日～火曜 交名古屋駅桜通口から徒歩6分 Pなし MAP付録P6D1

京都イオリカフェ
きょうといおりかふぇ

創業300余年、歴史ある京の味を楽しむ

京都の老舗和菓子店・笹屋伊織プロデュースの和カフェ。抹茶パフェ1320円は濃厚な抹茶アイスと抹茶ゼリーに、白玉と店内で炊き上げた小豆を添えている。ボリュームのわりにあっさりとした後味が女性に人気。DATA ☎052-585-2924 住名古屋市中村区名駅1-2-1 名鉄百貨店本店本館9階 営11時～17時30分LO 休名鉄百貨店に準ずる 交名鉄名古屋駅直結 P名鉄百貨店に準ずる MAP付録P7C2

ジェイアール名古屋タカシマヤ
じぇいあーるなごやたかしまや

使える度No.1! 駅からすぐのデパート

JRセントラルタワーズ地下2階～地上11階と、51階のパノラマサロンで展開。名古屋初となるブランドのほか、デパ地下には地元の名品が充実し、おみやげ選びにも重宝する。DATA ☎052-566-1101 住名古屋市中村区名駅1-1-4 営10～20時(一部店舗により異なる) 休不定休 交JR名古屋駅からすぐ Pタワーズ一般駐車場約1000台(30分350円) MAP付録P7C2

めいてつひゃっかてんほんてん 名鉄百貨店本店

新しいライフスタイルを提案するデパート

レディスやコスメを中心とした「本館」と、メンズファッションの「メンズ館」からなる。9階グルメステーションでは、「矢場とん」など名古屋グルメも楽しめ、親子三世代が楽しみながら回遊できる。DATA☎052-585-1111 住名古屋市中村区名駅1-2-1 ⏰10〜20時（レストランは11〜23時）※変動あり 休1月1日 交名鉄名古屋駅直結 P契約駐車場あり（1万台）MAP付録P7C2

くるーずなごや クルーズ名古屋

名古屋の街中や名古屋港を巡る

ささしまライブと日帰り温泉施設の「キャナルリゾート」、ショッピングセンター「ららぽーと名古屋みなとアクルス」、名古屋港桑名水族館がある「ガーデンふ頭」、レゴランド®・ジャパンがある「金城ふ頭」などを結ぶ水上バス。DATA☎052-659-6777 住名古屋市中川区運河町周辺 ¥片道300〜1500円 ⏰休土・日曜、祝日を中心に運航、ダイヤはHP参照 交ささしまライブ乗船場へはあおなみ線ささしまライブ駅から徒歩3分 Pなし MAP付録P5A3

きっさりっち 喫茶リッチ

小倉が主役のパフェにコーヒーが合う

昭和46年（1971）のエスカ開業時より営業を続ける喫茶店。たっぷりの小倉餡をトッピングした小倉パフェも、当時から残る人気メニューだ。入れたてのコーヒーとご一緒に。DATA☎052-452-3456 住名古屋市中村区椿町6-9先 エスカ地下街 ⏰7〜20時 休エスカに準ずる 交名古屋駅太閤通口からすぐ Pエスカ駐車場295台（30分330円。3000円以上で1時間無料）MAP付録P7B2

みっどらんどすくえあ ミッドランドスクエア

一流ブランドが集う洗練されたモール

高さ247mを誇る東海地方で最も高いビル。海外のブランドショップや、セレクトショップ、映画館が集まるほか、上質なレストランも軒を連ね、少し贅沢な気分でランチ&ディナーのひとときを過ごせる。また、約220mに位置する屋外展望台「スカイプロムナード」に入場して、名古屋の街並みや遠くの山々を望むのもおすすめ。DATA☎052-527-8877 住名古屋市中村区名駅4-7-1 ⏰ショップ11〜20時、レストラン11〜23時(店舗により異なる) 休2月第3月曜、8月第4月曜 交名古屋駅から徒歩3分 P151台（有料）MAP付録P6D2

おくがいてんぼうだい すかいぷろむなーど 屋外展望台 スカイプロムナード

最高層から望む市街の絶景に感動

約220mの場所から絶景を望める展望台。オフィス棟1階からシースルー・ダブルデッキ・シャトルエレベーターに乗るとあっという間に42階の入場口に到着！屋根が開放されたオープンな空間から、市街地を眼下にできる。絶景とくつろぎ空間で至福のひとときを。

DATA☎住交Pミッドランドスクエアに準ずる ⏰11〜22時(最終入場21時30分)※季節により変動あり 休無休※大晦日、元日特別営業 MAP付録P6D2

でんぐししんじだいめいえきひろこうじてん 伝串 新時代 名駅広小路店

揚げ皮串発祥のお店

カラッと揚げた鳥皮の串「伝串」を楽しめる居酒屋。10本(4段)、21本(6段)、36本(8段)を注文するとピラミッドのように積み上げて提供され、SNSで話題に。伝串は1本55円、生ビールは1杯209円とコスパの高さも人気の秘訣だ。DATA☎052-433-1973 住名古屋市中村区名駅4-26-8 ⏰17時〜午前5時 休無休 交名古屋駅広小路口から徒歩5分 Pなし MAP付録P6D3

ぴよりんすてーしょん かふぇじゃんしあーぬ ぴよりんSTATION Cafe gentiane

名物のぴよりんがモーニングに登場

名古屋みやげで人気のスイーツ・ぴよりんのカフェが、2021年にオープン。名古屋コーチン卵が濃厚なぴよりんを、モーニングやランチで楽しめる。イートイン限定のメニューは必見！DATA☎052-533-6001 住名古屋市中村区名駅1-1-4名古屋駅 名古屋中央通り ⏰7〜22時（21時30分LO）休無休 交JR名古屋駅中央改札からすぐ Pなし MAP P46

ぴよりんモーニングプレート1200円には、ドリンク、ぴよりん、トースト、サラダ、ヨーグルトが付く

JR名古屋駅のコンコースにあり気軽に利用可能

名古屋駅の隣、ささしまライブ駅周辺は、複合施設「グローバルゲート」を中心に、名古屋の新都心として注目を集めています。

ココにも行きたい

栄・大須のおすすめスポット

やまざきまざっくびじゅつかん ヤマザキマザック美術館

18〜20世紀のフランス美術を紹介

ロココの時代から、ロマン主義、印象派、エコール・ド・パリまでフランス美術300年の流れがたどれる。またアール・ヌーヴォーのガラス作品や家具も展示。額装からガラス・アクリル板が外されているので、タッチや色彩などを直接鑑賞できるのも魅力だ。音声ガイドの無料貸出あり。DATA☎052-937-3737 住名古屋市東区葵1-19-30 ¥1000円 ◷10時〜17時30分（土・日曜、祝日は〜17時）休月曜 交地下鉄新栄町駅1番出口直結 P有料 MAP付録P12D4

往時のサロンを彷彿とさせる優美な展示室

クロード・モネ『アムステルダムの港』1874年

だぶるとーるかふぇなごや ダブルトールカフェ名古屋

五感で楽しめるコーヒーの名店

平成29年（2017）、大須に復活した珈琲の名店。「五感に響くコーヒー」メニューを提案、新たなコーヒーの魅力に出合うことができる。コーヒーを自家製アイスクリームに注いで3分待つとゼリーに変わるコーヒーゼリー「ワクワクの3分間890円」が人気。DATA☎052-253-8237 住名古屋市中区大須4-2-21 ◷8〜18時 休月・火曜 交地下鉄上前津駅1番出口から徒歩3分 Pなし MAP付録P10D2

うるふぎゃんぐ・ぱっく れすとらんあんどかふぇ あいちげいじゅつぶんかせんたーてん ウルフギャング・パック レストラン&カフェ 愛知芸術文化センター店

アカデミー賞の味わいを名古屋で

アカデミー賞公式シェフ、ウルフギャング・パックがプロデュースするカリフォルニア料理レストラン。DATA☎052-957-5755 住名古屋市東区東桜1-13-2 愛知芸術文化センター10・11階 ◷11〜23時(22時LO) 休月曜(愛知芸術文化センターに準ずる) 交地下鉄栄駅4A出口から徒歩3分 Pなし MAP付録P8E2

ろっか あんどふれんず くれーぷりー とてぃー なごや ROCCA & FRIENDS CREPERIE to TEA 名古屋

フォトジェニックなクレープ

Hisaya-odori Park内にある、クレープと紅茶の専門店。クレープはしっとりなめらかでもちもちとした食感が特徴。季節のフルーツを包んだデザートクレープは見た目のキュートさも話題。DATA ☎052-211-9300 住名古屋市中区錦3-15-11 RAYARD Hisaya-odori Park 2階 ◷11〜20時 休Hisaya-odori Parkに準ずる 交地下鉄栄駅4番出口から徒歩2分 Pなし MAP付録P8E2

香りをテーマに、厳選されたデザートクレープ880円〜が人気

なごやみつこし さかえてん 名古屋三越 栄店

名古屋の流行を常にリードする百貨店

栄の交差点に面し、地下鉄やバスターミナルにも近く、契約駐車場も多いため、アクセスが便利。老舗ならではのサービスとファッションアイテムのセレクトは抜群。話題のグルメもイチ早く登場するデパ地下も人気。DATA☎052-252-1111 住名古屋市中区栄3-5-1 ◷地下2階〜3階・9階レストラン10〜20時、4階〜9階（レストラン除く）は〜19時 休不定休 交地下鉄栄駅直結 P7850台 MAP付録P8D3

らしっく ラシック

トレンドを発信する複合商業施設

ファッションやインテリア、グルメなど約140店舗が勢揃い。名古屋では初出店となるブランドやセレクトショップも多い。レストランフロアには名古屋グルメや人気店が集結する。DATA☎052-259-6666 住名古屋市中区栄3-6-1 ◷11〜21時（7・8階は〜22時）休不定休 交地下鉄栄駅16番出口から徒歩1分 P7850台 MAP付録P8D3

まつざかやなごやてん 松坂屋名古屋店

名古屋を代表する老舗デパート

400年以上の歴史をもち、本館・南館・北館の3館からなる国内最大級の百貨店。地区随一の充実したデパ地下フロアがあるほか、店内には美術館やゴルフスクールのほか、週末はパイプオルガンの生演奏など買い物以外のシーンでも楽しめる。DATA☎050-1782-7000 住名古屋市中区栄3-16-1 ◷10〜20時（店舗により異なる）休無休 交地下鉄矢場町駅直結 P6100台 MAP付録P8D4

えりっく-らいふ/かふぇ もりー
eric-life/cafe molly

落ち着いた雰囲気の隠れ家カフェ

商店街から少し離れた静かな路地に立つ。1階は「eric-life(=cafe)」、2階は「cafe molly」として営業。低めのソファが配された店内は、ついつい長居してしまう居心地のよさ。食事メニューはしっかりとボリュームがあるのもうれしいポイント。お得なランチメニューは平日のみの提供。DATA ☎052-222-1555 住名古屋市中区大須2-11-18 🕒11時30分～21時(20時30分LO) 休水曜 交地下鉄大須観音駅2番出口からすぐ Pなし MAP付録P11B2

人気なオムライス900円～

cafe mollyは、2面採光の開放的な店内にソファとテーブルがゆったりと配置されている

かふぇあんどわいん まんまみーあ らぼらとりー なんてこったけんきゅうじょ
cafe&wine Mamma Mia LABORATORY なんてこった研究所

「なんてこった！」と驚くメニューがたくさん

ビルの4階に位置する隠れ家カフェ。オリジナリティあふれるメニューをお値ごろな価格で提供している。チーズキーマカレーが代名詞となっている。DATA ☎080-8165-1439 住名古屋市中区栄3-14-30 ミノウラビル4階 🕒11～17時 休無休 交地下鉄栄駅16番出口から徒歩5分 Pなし MAP付録P8D4

びーのさかえ
BINO栄

ハイブランド店と名古屋めしが目白押し

広小路通と大津通の交差点角にある商業施設。高級時計など海外ブランドをはじめ、あんかけスパゲティや味噌煮込みうどん、ひつまぶしや飛騨牛も楽しめる。サカエチカのクリスタル広場直結でアクセスが抜群なのもうれしい。DATA ☎店舗により異なる 住名古屋市中区錦3-24-17 🕒休店舗により異なる 交地下鉄栄駅1番出口から徒歩1分 Pなし MAP付録P8D3

おおすしねま
大須シネマ

シネマ愛にあふれたミニシアター

名古屋初の映画館が生まれた街・大須に「映画館を復活させたい」という思いのもと開館したミニシアター。名画・旧作・アニメーション・自主制作アニメーション映画を中心に上映。最新情報は公式サイトを確認。DATA ☎052-253-5815 住名古屋市中区大須3-27-12 ¥🕒休作品により異なる 交地下鉄上前津駅8番出口から徒歩5分 Pなし MAP付録P11C2

ほぼさかええきいちばんでぐちのれんがい
ほぼ栄駅一番出口のれん街

昭和の雰囲気を再現した居酒屋の街

全長70mにわたって11店舗が並ぶ居酒屋横丁。焼鳥店や台湾料理店、たこ焼きなど多種多様なジャンルが楽しめ、はしご酒にはもってこいの場所。店は全て2階建て、店内から昭和のような雰囲気が漂う軒並みもおもしろい。DATA ☎店舗により異なる 住名古屋市中区錦3-17-5 🕒休店舗により異なる 交地下鉄栄駅1番出口から徒歩1分 Pなし MAP付録P8D2

デパートと駅を結ぶ栄の地下街でお買い物

総面積8万4000㎡にも及ぶ栄の3つの地下街。女性向けのファッションやカフェが充実！

せんとらるぱーく
セントラルパーク

栄駅と久屋大通駅を結ぶ地下街

人気のファッションや雑貨の店に加え、食物販店も充実。DATA ☎052-961-6111 住名古屋市中区錦3-15-13先 🕒10～21時（飲食は～21時30分）、日曜、祝日は～20時（飲食は～20時30分） 休2・8月に各1回 交地下鉄栄駅・久屋大通駅直結 P570台 MAP付録P8E2

さかえ もりのちかがい
栄 森の地下街

栄のアクセスの中心地

地下街の中にある地下鉄栄駅の改札口周辺で、名古屋グルメの老舗や居酒屋、日用雑貨店など、生活に密着したラインナップが特徴。DATA ☎052-228-6722 住名古屋市中区栄3-5-12先 🕒休店舗により異なる 交地下鉄栄駅直結 Pなし MAP付録P8E2

さかえちか
サカエチカ

大同特殊鋼 フェニックス スクエアを中心に広がる

多くの商業施設と直結する便利な地下街。待ち合わせの定番・大同特殊鋼 フェニックス スクエアでは、珍しい柱型のビジョンにさまざまな映像が流れる。DATA ☎052-962-6061 住名古屋市中区栄3-4-6先 🕒10～20時（店舗によって異なる） 休2・8月に各1日 交地下鉄栄駅直結 Pなし MAP付録P8D3

松坂屋名古屋店本館地下1・地下2階（MAP付録P8D4）のごちそうパラダイスが人気。和洋菓子や惣菜の名店が揃っています。

ココにも行きたい

名古屋近郊のおすすめスポット

ひがしやまどうしょくぶつえん
東山動植物園

世界中の動物に会いに行こう!

日本最大級の広さを誇る動物園を中心に、植物園や遊園地も揃う。動物園では人気者のコアラをはじめ約450種の動物を飼育。植物園では高さ5.5mものサボテンが見られる温室がある。DATA☎052-782-2111 住名古屋市千種区東山元町3-70 ¥500円(中学生以下無料) ⏰9時～16時50分(入園は～16時30分) 休月曜(祝日の場合は翌平日) 交地下鉄東山公園駅3番出口から徒歩3分 P1600台 MAP付録P4F3

日本では珍しいコアラを飼育している

全面ガラス張りの重要文化財温室前館

ふるかわびじゅつかん／ぶんかん ためさぶろうきねんかん
古川美術館／分館 爲三郎記念館

住宅街にたたずむ静かなアート空間

名古屋の映画興業を牽引した古川爲三郎のコレクションを収蔵・展示する美術館。近代日本画のほか油彩画、陶磁器などを展示。数寄屋建築の分館も同時公開。DATA☎052-763-1991 住名古屋市千種区池下町2-50 ¥1000円～(分館爲三郎記念館と共通) ⏰10～17時 休月曜(祝日の場合は翌平日) 交地下鉄池下駅1番出口から徒歩3分 P7台 MAP付録P4E2

ばんてりんどーむ なごや
バンテリンドーム ナゴヤ

中日ドラゴンズのホームグラウンド

敷地面積10万4447㎡、客席数3万6398席を誇る球場。グッズが豊富に揃う「プリズマクラブ」はイベントがない日でも通年営業(月曜休)。DATA☎052-719-2121 住名古屋市東区大幸南1-1-1 ¥⏰休イベントにより異なる 交地下鉄ナゴヤドーム前矢田駅1番出口から徒歩5分 P有料(イベントにより変動) MAP付録P4E1

あいちこうくうみゅーじあむ
あいち航空ミュージアム

航空ファン・ファミリーにおすすめ

パイロットや整備士の体験プログラムが充実。離着陸を間近で見ることができる展望デッキもおすすめ。DATA☎0568-39-0283 住豊山町豊場(県営名古屋空港内) ¥1000円、高校・大学生800円、小・中学生500円 ⏰10～17時(最終入館16時30分) 休火・水曜。公式サイト要確認 交名古屋駅からバスで20～40分 Pなし(県営名古屋空港駐車場利用) MAP付録P3B1

ほしがおかテラス
星が丘テラス

緑豊かで開放的なショッピングセンター

緑に囲まれたオープンテラス風の造りが魅力のショッピングセンター。道路をはさんで東西2つの建物に分かれ、ファッションや雑貨をはじめ、グローサリー、デリなど約50店舗が並ぶ。星ヶ丘三越にも隣接。DATA☎052-781-1266 住名古屋市千種区星が丘元町16-50 ⏰10～20時(店舗により異なる) 休無休 交地下鉄星ヶ丘駅6番出口からすぐ P1500台 MAP付録P3C2

みどころ満載の名古屋港エリアへ

名古屋港エリアには、名古屋港水族館(☞P106)を中心に、博物館や遊園地が集合！ちょっと足を延ばしてみては？

なごやこうしーとれいんらんど
名古屋港シートレインランド

高さ85mの大観覧車で空中散歩

入場無料の遊園地。大観覧車は乗車800円。DATA☎052-661-1520 住名古屋市港区西倉町1-51 ⏰12～20時(土・日曜、祝日は10時～、変動あり) 休10～6月の月曜(祝日の場合は翌日)※変動あり P700台 交地下鉄名古屋港駅3番出口から徒歩5分 MAP P106

なんきょくかんそくせんふじ
南極観測船ふじ

南極観測船を公開する博物館

資料展示のほか、船内の様子も当時を再現している。DATA☎052-652-1111 住名古屋市港区港町108 ¥300円 ⏰9時30分～17時(入館は～16時30分) 休月曜(祝日の場合は翌日) 交地下鉄名古屋港駅3番出口から徒歩5分 P1200台 MAP P106

なごやこうぽーとびる
名古屋港ポートビル

帆船のようなフォルムが特徴

名古屋港を紹介する海洋博物館や展望室がある複合ビル。DATA☎052-652-1111 住名古屋市港区港町1-9 ¥300円 ⏰9時30分～17時(入館は～16時30分) 休月曜(祝日の場合は翌日) 交地下鉄名古屋港駅3番出口から徒歩5分 P1200台 MAP P106

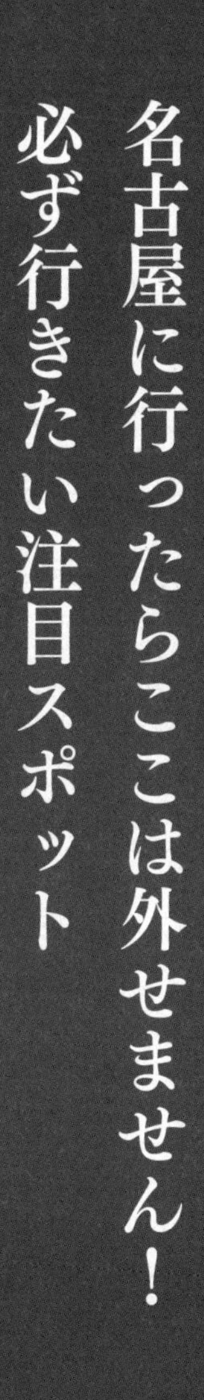

名古屋に行ったらここは外せません！
必ず行きたい注目スポット

1900年の歴史を刻む熱田神宮、レトロモダンな門前町・覚王山、新エリアのオープンでますます注目のジブリパークや、名古屋港水族館、レゴランド®・ジャパン・リゾートなど、名古屋駅からすぐ行ける人気スポットをご案内。

一歩入るとそこは作品の世界 ジブリパークで登場人物気分を味わう

愛知万博の会場となった「愛・地球博記念公園(モリコロパーク)」内に点在するジブリパーク。自然豊かな園内の森、道、建物を生かした、スタジオジブリ作品の世界が楽しめます。

▲「ジブリの大倉庫」で印象的な中央階段。約20万枚のタイルが使用されている

▶「魔女の谷」にある高さ約20mのハウルの城

じぶりぱーく
ジブリパーク

公園内に点在するジブリ作品の世界

スタジオジブリ作品の世界観を表現した公園施設。自然豊かな園内の森、道、建物を生かして、スタジオジブリ作品の世界を表現している。全5エリアで構成され、映画の主人公になったような気分が味わえる。県産材を使った施設や特産品を使用した装飾などもあり、愛知の魅力があちこちに点在。名シーンを思い浮かべながら散策してみよう。

☎0570-089-154(ジブリパーク営業時間内) 住長久手市茨ケ廻間乙1533-1 愛・地球博記念公園（モリコロパーク）内 ⏰10～17時（土・日曜、祝日9時～）※日時指定の完全予約制 休火曜（祝日の場合は翌平日） 交愛知高速交通（リニモ）愛・地球博記念公園駅からすぐ Pなし MAP付録P2C2

チケットの現地販売はないので、オンライン《Boo-Wooチケット》または、全国のローソン・ミニストップ店頭の《Loppi》で購入しよう。「ジブリパーク大さんぽ券」「ジブリパーク大さんぽ券プレミアム」「ジブリパークさんぽ券」で、チケットの発売日時や入場可能なエリア・建物が異なるので事前に確認を。

チケット		中学生以上	4歳～小学生	入場可能エリア
ジブリパーク大さんぽ券	平日	3500円	1750円	大 青 ど も 魔 ※ジブリの大倉庫のみ入場時間指定あり
	土・日曜、祝日	4000円	2000円	
ジブリパーク大さんぽ券プレミアム	平日	7300円	3650円	大 青 ど も 魔 地球屋、サツキとメイの家、オキノ邸、ハウルの城、魔女の家の建物内も観覧可 ※ジブリの大倉庫のみ入場時間指定あり
	土・日曜、祝日	7800円	3900円	
ジブリパークさんぽ券	平日	1500円	750円	青 ど も 魔 ※魔女の谷のみ午前／午後の入場指定あり
	土・日曜、祝日	2000円	1000円	

大 ジブリの大倉庫 青 青春の丘 ど どんどこ森 も もののけの里 魔 魔女の谷

★地球屋、サツキとメイの家、オキノ邸、ハウルの城、魔女の家の建物の観覧はジブリパーク大さんぽ券プレミアムのみ

ジブリパークがある愛・地球博記念公園（モリコロパーク）とは？

平成17年（2005）に開催された愛知万博の長久手会場跡地に造られた公園。県下最大級の大きさを誇る高さ88mの大観覧車や芝生広場、屋内スケート場などがあり、まるっと一日楽しめる。
☎0561-64-1130 MAP付録P2C2

パーク内はこうなっています

青春の丘 A
せいしゅんのおか

ジブリパークの玄関口となるエリア。『耳をすませば』のアンティークショップ「地球屋」や、『猫の恩返し』の「猫の事務所」がある。高さ約30mのエレベーター塔などみどころ満載。

▲『耳をすませば』で、主人公がたどり着いた地球屋

だれでもOK
エレベーター塔
▲高さ約30m。公園北口のメインゲート近くにある

もののけの里 B
もののけのさと

『もののけ姫』で描かれた里山風景をイメージ。タタラ場をモチーフにした体験学習施設や、キャラクターを模したオブジェがみどころ。

▲赤い暖簾が張られたやぐらと草屋根のタタラ場

▲もののけの里休憩処ではオリジナルグッズなどを販売

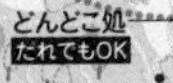

ジブリの大倉庫 C
じぶりのだいそうこ

➡P104

企画展示や映像展示、カフェ、ショップなど、スタジオジブリ作品の魅力が詰まった屋内施設。"ジブリの大博覧会"のような空間が広がる。

▲日清製粉のキャラクター・コニャラの巨大オブジェ

公園北口にあり、スタジオジブリ作品の商品や公園で使えるグッズも販売。カフェも隣接

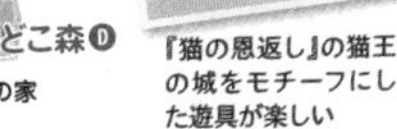

『猫の恩返し』の猫王の城をモチーフにした遊具が楽しい

『千と千尋の神隠し』の世界を彷彿させる

どんどこ森 D
どんどこもり

園内でも特に緑で囲まれた自然豊かなエリア。『となりのトトロ』に登場する「サツキとメイの家」があり、その裏山には散策路が整備されている。山頂には、高さ約5mある大きな木製遊具「どんどこ堂」（子どものみ）で遊べる。

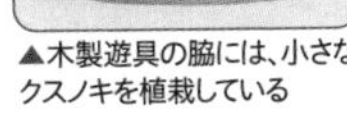
▲木製遊具の脇には、小さなクスノキを植栽している

魔女の谷 E
まじょのたに

➡P105

魔女にまつわる作品の世界を表現。実際にパンを販売する「グーチョキパン屋」やレストラン、メリーゴーラウンドなどのジブリパーク唯一の乗り物遊具がある。

▲『ハウルの動く城』のハウルやソフィーの装飾も（別途有料）。

愛・地球博記念公園には、ペットと一緒に乗車できる高さ88mの大観覧車があります。

スタジオジブリ作品の世界観を表現する注目エリア

じぶりのだいそうこ

ジブリの大倉庫

さまざまなジブリ作品が登場

『天空の城ラピュタ』『となりのトトロ』『君たちはどう生きるか』などジブリ作品の魅力を詰め込んだ"倉庫"。作品の世界観を表現した数々の展示に思わず引き込まれる。限定グルメやグッズが並ぶ、カフェやショップも見逃せない。

▼頭(かしら)の近くに落ちているサインに注目してみよう

ロボット兵のスケールに圧倒!

天空の庭

てんくうのにわ

今にも動き出しそうな全長約4mのロボット兵は迫力満点!『天空の城ラピュタ』の廃墟となった庭園をイメージした空間で、ツタや苔に覆われたロボット兵や古き紋章を見られる。

▲ロボット兵の前に立つと、大きさに圧倒される

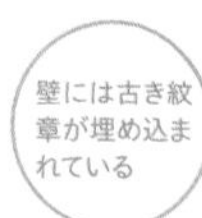

壁には古き紋章が埋め込まれている

油屋の執務室で湯婆婆とご対面

にせの館長室

にせのかんちょうしつ

『千と千尋の神隠し』の湯婆婆が執務室で仕事に没頭中。湯婆婆の髪の毛は1本ずつ植えられている。大量の契約書が飛び交う部屋には、緑色の頭(かしら)や湯バードの姿もある。

部屋に飛び交ういろいろな契約書もチェックしてみて!

子どもサイズの『となりのトトロ』の世界が広がる空間

ネコバスルーム

ねこばするーむ

『となりのトトロ』の世界をモチーフにした子ども向けのエリア。ジブリパークオリジナルのパッチワーク調のネコバスは、よじ登ったり中に入れたりする(小学生以下の子どものみ)。

▲パッチワーク調のネコバスがお出むかえ

子どもサイズのサツキとメイの家。あちこちにマックロクロスケが

おみやげはココで

じぶりのだいそうこしょっぷ「ぼうけんひこうだん」

ジブリの大倉庫ショップ「冒険飛行団」

ジブリパーク限定商品やジブリ作品に関するアイテムなど、すべてのジブリ長編作品のグッズが豊富に揃う。

ぬいぐるみオリジナルネコバス4950円

リバーシブルのミニバッグ大きなクスノキ4950円

企画展示やカフェ、ショップなどジブリ作品が詰まった屋内施設「ジブリの大倉庫」と、
魔女にまつわる作品の世界を表現した「魔女の谷」をご紹介。

まじょのたに
魔女の谷
魔女が暮らす不思議な世界

魔女を題材にしたスタジオジブリ作品の世界を表現したエリア。ジブリパーク内で最大の広さを誇り、作品に登場した建物やヨーロッパ風の街並みを巡れる。ジブリパーク初のレストラン&乗り物遊具も必見だ。

▼生き物のような形をした城は、エリアの中でも存在感抜群

動き出す!? 城の生活を体感
ハウルの城
はうるのしろ

荒地にたたずむ高さ約20mの城。1時間に数回、城の一部が動き、煙を吐く、まさに"動く城"。1階はカルシファーの炉のある居間やソフィーの部屋、2階にはハウルの寝室やマルクルの部屋、浴室などがある。

◀正面の階段から入ると、1階の居間がある

バスタブにはお湯が張ってあり、まるで誰かがさっきまで入っていたかのよう

▼帽子の木型や装飾が並ぶ、ソフィーの作業場

ソフィーが切り盛りする帽子店
ハッター帽子店
はったーぼうしてん

帽子を販売するショップ。建物奥の作業場は『ハウルの動く城』のソフィーが帽子を作る姿が浮かぶ。魔女や魔法に関連する書籍が並ぶ、2階の「魔女の本棚」も立ち寄って。

「魔女の本棚」には、スタジオジブリ作品の原作など魔女を題材にした本が並ぶ

オリジナルの帽子のほか作品をモチーフにしたキャンディ缶各1300円などを販売している

オキノ家の生活をのぞいてみよう
オキノ邸
おきのてい

『魔女の宅急便』でキキが魔女修行に旅立つまで暮らした家。1階は母・コキリの魔女の店や居間。2階はキキの部屋と父親の書斎がある。

▲本物の草花に囲まれた魔女の店

キキの部屋の机や棚の中にも注目。ベッドの上にはぬいぐるみもある

食事はココで

そらとぶおーぶん
空飛ぶオーブン

パイやキッシュといったオーブン料理から、カップケーキなどのスイーツまで、ヨーロッパらしいグルメが味わえる。闇夜のカレーといった、魔女の谷らしいミステリアスなグルメも。 🕒11～17時(16時LO)

魔女の谷のシェパーズパイ2500円

ジャムクッキーとカップケーキ(ピンク)1000円

ジブリの大倉庫の展示室では、「ジブリのなりきり名場面展」など期間限定の企画展示を実施しています。

名古屋港水族館で癒やしの動物たちに急接近！

名古屋駅から地下鉄と徒歩で30分

イルカをはじめ約500種類の海の生物たちが暮らす水族館。
美しいブルーに染まる豊かな海の世界をのぞいてみましょう！

名古屋港水族館（なごやこうすいぞくかん）

ゆっくりまわって約180分

愛嬌たっぷりにイルカがお出迎え

イルカやシャチなどがすむ北館と、日本から南極までの地域・水域の生き物を紹介する南館を中心とした水族館。国内最大のプールで行うイルカのパフォーマンスは、ダイナミックで圧巻。随時開催される多彩なイベントもお見逃しなく。

☎052-654-7080 住名古屋市港区港町1-3 ¥2030円 ◷9時30分～17時30分（冬期は～17時、夏期は～20時）※入館は閉館の1時間前まで 休月曜（祝日の場合は翌日）※7～9月は無休 交地下鉄名古屋港駅から徒歩5分 Pガーデンふ頭駐車場1200台（30分100円、1日最大1000円） MAP付録P3B4

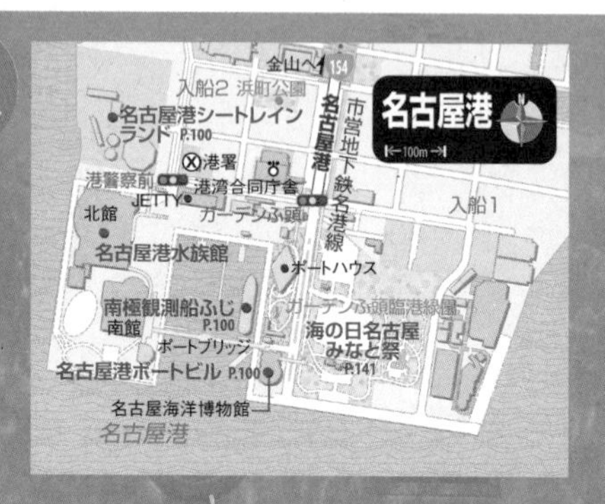

知りたい！

ペンギンフィーディングタイム（給餌タイム）

エンペラーペンギンをはじめ、4種類のペンギンがエサを食べる様子が見学できる。飼育係の楽しい解説にも注目だ。
◷1日1～2回、約10分（詳細は要確認）

南館◎ペンギン水槽

▲ウミガメ回遊水槽でも給餌タイムあり

▼クライマックスは迫力の連続ジャンプ

北館◎スタジアム

すごい！

イルカパフォーマンス

日本最大のプールで、バンドウイルカの高い運動能力を生かしたパフォーマンスを披露。
◷1日3～5回開催、約15分（詳細は要確認）

▼トレーニングの開催時間は約15分

北館◎スタジアム

かわいい♥

シャチの公開トレーニング

トレーニングを通して、シャチの生態を飼育係が魅力いっぱいに紹介。
◷1日2～3回開催、約15分（詳細は要確認）

水族館の日常をお届け
「スタッフコラム」

飼育係が日々発見したことや
生き物の魅力を発信。
nagoyaaqua.jp
(名古屋港水族館)

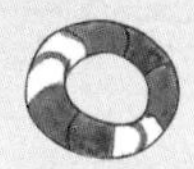

キレイ♪ 北館◎メインプール下

水中観察席

メインプールのすぐ真下。縦4m×横29mの巨大な観察窓があり、ブルーに染まる世界は海の中のよう。

◀パフォーマンス中は、水中でのイルカのダイナミックな動きが見られる

話題！

マイワシのトルネード

約3万5000匹のマイワシが縦横無尽に踊り泳ぐ。キラキラ輝くマイワシの巨大なうねりは幻想的。

1日3～4回開催、約5分
(詳細は要確認)

南館◎黒潮大水槽

▲エサに群がりマイワシが見事なトルネードをつくる

水族館のキュート♥なオリジナルグッズ！

リアルシャチ（メス） 3500円
チャーミングオルカ 1650円
▲飼育係監修のもとシャチの特徴を再現したオリジナル

潜水服ブックマーク
800円
◀深海エリアに展示の潜水服がオリジナルグッズに

敷地内にはカメ類繁殖研究施設があり、ウミガメの生態・繁殖の研究にも力を入れています。

名古屋駅から電車と徒歩で15分

森閑な熱田の杜を訪ね 熱田神宮へ参拝しましょう

創始1900年を超える熱田神宮。悠久の歴史が息づく杜には三種の神器の一つ「草薙神剣」が祀られ、神秘的な空気に包まれています。

あつたじんぐう

熱田神宮

ゆっくりまわって約90分

閑なる熱田の杜を歩き凛とした空気に触れる

「熱田さま」と親しみを込めてよばれ、古(いにしえ)より篤い崇敬を集めてきた神社。三種の神器の一つ草薙神剣（くさなぎのみつるぎ）を祀り、地元はもちろん全国より参拝者が訪れる。約19万㎡の境内はなんとも厳かな雰囲気だ。

☎052-671-4151 住名古屋市熱田区神宮1-1-1 ¥◷休境内自由 交地下鉄熱田神宮西駅から徒歩7分／名鉄神宮前駅から徒歩3分 P400台 MAP付録P3B3

本宮 ほんぐう

三種の神器である草薙神剣奉斎の社で、神剣の鎮まる本宮は伊勢の神宮とほぼ同じ神明造り。

べつぐうはっけんぐう

別宮八剣宮

元明天皇の勅命により造られた神剣を祀る別宮。織田信長や徳川家康ら武家からの信仰も篤かった。

つるぎのほうこ くさなぎかん

剣の宝庫 草薙館

見どころ！

古来より刀剣の奉納がなされていた熱田神宮。国宝や重要文化財に指定された貴重な刀剣を見学できるほか、真柄太刀二口の重さを感じることができる大体験コーナーもある。

◀正門の少し先にある

みやきしめん じんぐうてん

宮きしめん 神宮店

ここでひと休み

熱田神宮の境内にあり、緑に囲まれたすがすがしい雰囲気のなかで、名古屋名物の宮きしめんを味わうことができる。

☎052-682-6340 ◷9時～16時30分LO 休無休 MAP P109

▲宮きしめん750円

江戸情緒が味わえる「宮の渡し公園」でひと休み

宮宿から桑名宿への東海道唯一の海上路で、「宮の渡し公園」は当時の雰囲気を取り入れた歴史の香り漂う公園です。
☎052-881-7017
(名古屋市熱田土木事務所)
MAP P109

大楠 おおくす

樹齢は1000年以上と伝えられ、弘法大師のお手植えともいわれている。

信長塀 のぶながべい

織田信長が桶狭間合戦の出陣前に熱田神宮で必勝祈願をし、見事に勝利を収めたことから奉納された土塀。

お宝も必見!

宝物館 ほうもつかん

皇室や将軍、藩主、一般の篤志家から寄進された約6000点の宝物から一部を入替展示。刀剣類や舞楽面などの展示は圧巻。

▶江戸時代の色彩鮮やかな木造舞楽面「陵王」

授与所 じゅよしょ

本宮の拝殿と神楽殿の間にある建物で神札やお守りを授与する。神楽殿で執り行うご祈祷の申し込みもここで受付。
🕒7時～日没

▲結守(女)・結守(男)。初穂料各1000円

▶男守(ますらお)・女守(なでしこ)。初穂料各1000円

▶勝守(勝紐付き)。初穂料1000円

名古屋の名物・宮きしめんは、熱田神宮の古称「宮」からきています。

名古屋駅から地下鉄で14分

レトロ×モダンな門前町、覚王山をぶらりさんぽ

日泰寺へ続く参道を中心に、個性的な店が点在する覚王山エリア。アート作品や手作りアイテムを探しつつ、のんびり参拝へ。

1

とうげいきょうしつ・こうぼう・ぎゃらりー ぽちぽち
陶芸教室・工房・ギャラリー **歩知歩智**

レトロなたたずまいの陶器専門店

「見ていてなごむモノ、オリジナリティがあり手作り感のあるモノ、愛着がわくモノ」をコンセプトに陶芸作家の店主夫婦が制作した陶器や、地元作家の作品を扱う。自分だけのお気に入りを見つけて。

▶いずれも製造直販ゆえの低価格

☎052-761-5553 住名古屋市千種区山門町2-58 ⌚11～19時 休月・火曜 交地下鉄覚王山駅1番出口から徒歩2分 Pなし MAP P4E3

▲犬の置物2200円。癒やし効果あり

▲箸置き各440円

大人気のケーキは売り切れ前に。名古屋限定メニューも！ P34

2

かくおうざんあぱーと
覚王山アパート

ここでしか手に入らないアート作品を探して

築60年以上の2階建て木造アパートを改装し、クリエーターのショップやアトリエ、ギャラリーとして公開。玄関やトイレもギャラリーとして利用するなど、アパート全体がアートな空気に包まれている。

☎052-752-8700 住名古屋市千種区山門町1-13 ⌚11～18時 休火・水曜(祝日、21日の縁日は営業) 交地下鉄覚王山駅1番出口から徒歩7分 Pなし MAP P4E3

はりがねさいくやおうお
針金細工八百魚

針金アーティスト合田さんのアトリエ兼ギャラリー。針金で作る似顔絵はプレゼントにも◎。
☎052-762-2339

▲針金似顔絵1500円～。1人30分くらいで完成▶体験教室1500円～も(要予約、所要1～2時間)

▼ブランコ800円

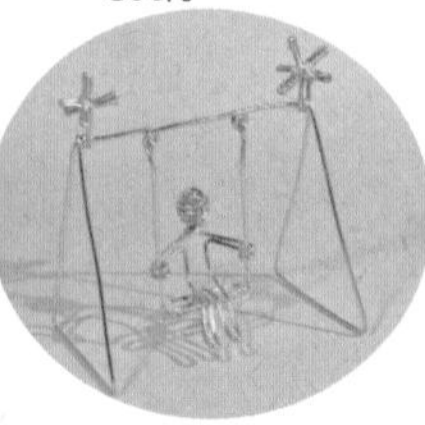

ふるほんかふぇ あむりた
古本カフェ 甘露

棚の本はすべて読み放題の古本屋兼カフェ。値段がついているものは購入もできる。

▲クラフト作家の作品も販売◀今日のカレーセット1150円(ドリンク付き)

ぴんちょす
pinchos

カラフルな糸を使ったニットアクセサリーの店。かぎ針編みで作られるピアスやイヤリングなど、繊細なデザインが光る。オーダーも受付可。

まめ*まめ(いつまでもしゅげいぶ)
豆*豆(いつまでも手芸部)

バッグやポーチ、ブローチなど「あったらいいな」という雑貨を布やボタンで作り出す。

▲釈迦金銅仏を安置する本堂

3 かくおうざん にったいじ 覚王山 日泰寺

日本で唯一 お釈迦様の御真骨を祀る

明治33年（1900）に、シャム（現タイ）の国王より贈られた仏舎利（お釈迦様の御真骨）を奉安。「日本とタイの寺院」ということで日泰寺と名付けられた。毎月21日には弘法縁日が行われる。

☎052-751-2121 住名古屋市千種区法王町1-1 ⏰5時～16時30分 休無休 ¥境内自由 交地下鉄覚王山駅1番出口から徒歩7分 P100台 MAP P4E2

和洋折衷の店が並ぶ。毎月21日の弘法縁日には露店が大賑わい！

ゆっくり歩いて 約150分

3 覚王山 日泰寺

日泰寺参道

山門

五重塔

千体地蔵堂

4 揚輝荘（北園）

揚輝荘（南園）

内部には小さな地蔵が無数に立つ。日泰寺の縁日に御開帳

London Cupcakes 5

▼山荘風の外観の聴松閣

4 ようきそう 揚輝荘

広大な庭園と歴史ある建造物

株式会社松坂屋の初代社長・伊藤次郎左衛門祐民が、大正から昭和にかけて築いた別邸。南園・聴松閣（有料）のほかに、北園の池泉回遊式庭園も公開され、散策が楽しめる。

☎052-759-4450 住名古屋市千種区法王町2-5-17 ¥聴松閣は300円 ⏰9時30分～16時30分 休月曜（祝日の場合は翌平日）交地下鉄覚王山駅1番出口から徒歩10分 Pなし MAP P4E3

5 ろんどん かっぷけーき London Cupcakes

カラフルでキュートなカップケーキ

フォトジェニックなビジュアルが女性に評判のカップケーキ専門店。ゴールデンシロップなど、本場イギリスの材料を使いつつ、甘さが控えめのやさしい味わいも特徴。

☎052-898-4083 住名古屋市千種区姫池通3-25-2 ⏰10時～17時30分 休月～水曜 交地下鉄覚王山駅2番出口から徒歩5分 P1台 MAP 付録P4E3

▲細かなデコレーションを施したポップなカップケーキは1個400円～ ▶道沿いにこぢんまりとある店舗は、ホワイトとピンクの外観が目印

春・夏・秋の年3回開催される覚王山祭では、フリマやアートマーケット、屋台などが出て、大いに賑わいます。

名古屋駅から
電車と徒歩で
30分

鉄道の魅力が体感できる リニア・鉄道館へ出かけましょ

子どもから大人まで楽しく学べるJR東海の鉄道のミュージアム。
なかでも鉄道ジオラマやシミュレータでは圧巻の体験ができます。

りにあ・てつどうかん
〜ゆめとおもいでのみゅーじあむ〜

リニア・鉄道館 〜夢と想い出のミュージアム〜

ゆっくりまわって
約180分

見て、触れて、体感して 鉄道の世界を知ろう

初代0系新幹線や超電導リニアMLX01-1をはじめ、39両の実物車両を展示。新幹線N700系の運転シミュレータや国内最大級の鉄道ジオラマなど、車両展示以外のお楽しみも。鉄道グッズや駅弁も充実。

☎052-389-6100 住名古屋市港区金城ふ頭3-2-2 ¥1000円ほか 🕒10時〜17時30分(入館は〜17時) 休火曜(祝日の場合は翌日) 交名古屋臨海高速鉄道金城ふ頭駅から徒歩2分 P近隣駐車場利用 MAP付録P3A4

check point 1

車両展示

実車39両を展示。注目は超電導リニアMLX01-1など、世界最高速度を記録した3つのシンボル車両。

▼2003年に時速581㎞を記録した超電導リニアMLX01-1

▼新幹線の軌道検査などを行っていた、通称「ドクターイエロー」

▲歴代の新幹線車両や在来線車両がズラリと並ぶ

▼新幹線シミュレータ「N700」は東京〜名古屋の仮想区間を運転

check point 2

シミュレータ

新幹線「N700」、在来線の「運転」と「車掌」の全3種類のシミュレータを用意。リアルな体験が楽しめる。

▲乗降確認や車内アナウンスを行う車掌シミュレータ

¥新幹線シミュレータ「N700」1回15分500円(当日先着)
在来線シミュレータ「車掌」1回15分500円(当日先着)
在来線シミュレータ「運転」1回10分100円(当日先着)

check point 3

鉄道ジオラマ

日本最大級の鉄道ジオラマで「鉄道の24時間」を演出。車両が走るだけでなく多彩な仕掛けも。

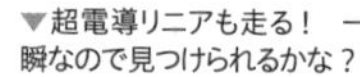

▼超電導リニアも走る！ 一瞬なので見つけられるかな？

▲「鉄道の24時間」の演出時間は20分間。夜には街の明かりも灯る

※展示内容は変更となる場合があります。

◀お召列車牽引時の仕様のC57形式蒸気機関車の139号機

▶国鉄バス第1号車。展示の車両は現存する国産最古のバス

check point 4

展示コーナー

新幹線や超電導リニアのしくみ、鉄道の歴史などを多彩な展示で解説している。体験型の展示もある。

◀東海道を中心に鉄道の歴史を紹介する歴史展示室

▲浮上や走行の原理など、超電導リニアの技術を体験装置や模型で紹介する超電導リニア展示室。ミニシアターでは時速500kmの世界を模擬体験

check point 5

デリカステーション

駅弁やサンドイッチ、東海道新幹線車内のコーヒーなどを販売。「東海道新幹線の駅弁予約」サイトで事前予約も可能。

東海道新幹線弁当
1150円

▲東海道新幹線沿線のご当地食材と味わいをイメージして盛り付けたお弁当

Dr.Yellow lunch box（ドクターイエローランチボックス）
1250円

▶ドクターイエローをデザインしたパッケージに子どもが好きなおかずを詰め合わせたお弁当

館内限定エッチングクリップスHC85系
560円

▶2022年高山線にデビューした新型特急車両HC85系がモチーフのクリップ。1箱10個入り

館内限定ポストカード ゆく鉄くる鉄（超電導リニアL0系） 220円

▶超電導リニアL0系の走行シーンと車内の様子がかわいく描かれた型抜きポストカード

check point 6

ミュージアムショップ

模型や雑貨、お菓子、書籍などさまざまな鉄道関連アイテムが揃う。限定オリジナルグッズも！

館内は「撮影禁止」の一部エリアと映像を除けば、ほかは写真撮影OKです。ただし三脚・一脚・自撮り棒の使用はできません。

日本初上陸のレゴ®の世界を遊び尽くしちゃおう

世界7カ国8カ所目となるホテルや水族館も楽しめるレゴ®のテーマパーク。ここでは大人も童心にかえって、我が子と思いっきり楽しもう。

▲レゴランド®のオリジナルキャラクターと会えたら写真撮影をしよう

れごらんど・じゃぱん・りぞーと

レゴランド®・ジャパン・リゾート

遊んで！作って！名古屋の一大ファミリーリゾート

日本で唯一、レゴ®ブロックをモチーフにしたファミリーリゾート。2歳から12歳までの子どもを持つ家族をメインゲストとした屋外型テーマパーク「レゴランド®・ジャパン・リゾート」や「レゴランド®・ジャパン」と、レゴ®ブロックに囲まれたさまざまな世界が広がるテーマホテル「レゴランド®・ジャパン・ホテル」、"見て、さわって、学んで"体験できる水族館「シーライフ名古屋」など、ここにしかない特別な時間を体験できる。

☎0570-05-8605（レゴランド®・ジャパン・コールセンター）㊟名古屋市港区金城ふ頭2-2-1 ¥1DAY大人4500円～、3～18歳3300円～ 🕒休不定 交名古屋臨海高速鉄道金城ふ頭駅から徒歩5分 P名古屋市営駐車場利用（有料）MAP付録P3A4

▶ジェットボートで水上を走る「スクイッド・サーファー」（アドベンチャー）◀ドラゴンに乗って中世の世界を冒険する「ザ・ドラゴン」（ナイト・キングダム）

▲宿泊部屋が5つのテーマから選べる「レゴランド®・ジャパン・ホテル」▶子どもも大喜びのレゴ® ニンジャゴーフロア

▲◀オドロキや発見がいっぱいの海の世界「シーライフ名古屋」

旅の疲れは快適なホテルで癒やしましょう。私にぴったりのホテル探し

歩き疲れた夜は、ゆっくりリラックスしたいもの。名古屋には、贅沢な時を過ごせるラグジュアリーホテルや、駅近で観光に便利なホテルなど、用途に合ったさまざまな素敵なホテルが揃っています。

ホテルだってこだわりたい ラグジュアリーな非日常体験

国際的な賓客やセレブも迎える名古屋きっての名門ホテル。洗練されたロビーに一歩足を踏み込めば、そこは別世界です。

名古屋駅

なごやまりおっとあそしあほてる

名古屋 マリオットアソシアホテル

名古屋の夜景を一望する 高層階で優雅な一夜を

名古屋駅の真上に位置し、抜群のロケーションとアクセスのよさが魅力。客室は20～49階の高層階にあり、ゆとりある優雅な空間が広がる。和・仏・中から鉄板焼きまで、8つのレストラン&バーが揃う。会員制フィットネスクラブは、宿泊客1日3300円（コンシェルジュフロア宿泊客は無料）で利用できる。

☎052-584-1111 住名古屋市中村区名駅1-1-4 交JR名古屋駅直結 室769室 P170台(1泊1台3300円)●2000年5月開業●鉄筋52階建 MAP付録P7C2

料金
- ダブル 6万6500円～
- ツイン 6万6500円～
- IN 15時 OUT 12時

Note

6～23時まで（変更の可能性あり）ルームサービスに対応。朝食4500円～のほか、きしめんやみそかつ御膳など名古屋名物も！

名古屋駅直結のJRセントラルタワーズ内にある

ホテルで お食事＆ティータイム♪

15階のオールデイダイニング「パーゴラ」。ランチブッフェ（平日）5000円～

15階のロビーラウンジ「シーナリー」で優雅なティータイムを

52階スカイラウンジ「ジーニス」からは美しい景色を楽しめる

18階の中国料理「梨杏」。ランチ5000円～、ディナー1万3000円～

1 フィットネスクラブは7～22時 2 くつろぎと機能性を兼ね備えたデラックスツイン 3 高級感あふれる、広々としたヨーロピアンエレガンスなロビー 4 特別階コンシェルジュフロアの専用ラウンジ。朝食やティータイム、カクテルタイムが楽しめる

 駅近（駅から徒歩5分以内） リラクゼーション施設あり 客室インターネット レディスフロアあり アメニティ充実 ペット宿泊OK

伏見

なごやかんこうほてる

名古屋観光ホテル

歴史と伝統がつくり出すくつろぎの上質空間

1936年開業の名古屋市内で最も長い歴史と伝統を誇るホテル。ラグジュアリータイプや機能的なビジネスタイプなど多彩なスタイルのお部屋を用意。さまざまな観光施設へのアクセスも良好。☎052-231-7711 住名古屋市中区錦1-19-30 交地下鉄伏見駅8・9番出口から徒歩2分 室257室 P250台（無料）●1936年12月開業 ●鉄筋19階建 MAP付録P9A3

料金

- ダブル 3万2890円～
- ツイン 3万6685円～
- IN 15時 OUT 12時

Note

ライブラリーラウンジでは名古屋にゆかりのある書物などさまざまなコレクションを楽しめる

より快適なくつろぎの場所としてプライベートな滞在を演出する宿泊者専用ラウンジ

ホテルで お食事＆ティータイム♪

「ラウンジ シャルダン」では、ゆるやかに流れるライブミュージックに包まれながら、季節のアフタヌーンティーを

地元食材や新鮮素材を使用したブッフェ料理を楽しめるブラッセリー＆カフェル・シュッド

コンセプトルーム「プルミエ」。ジャポニズム感覚あふれる客室は、ファミリーや4名までのグループに最適

料金

- シングル 1万2000円～
- ツイン 2万6000円～
- IN 15時 OUT 12時

Note

ローストビーフやパティシエ自慢のデザート、サラダなどが堪能できる贅沢な宿泊プランも好評！

栄

なごやとうきゅうほてる

名古屋東急ホテル

ヨーロピアンテイストの気品が薫る国際的迎賓館

4階までが吹き抜けになった開放的なアトリウムラウンジ、格調高いフレンチレストラン「ロワール」や日本料理の老舗「なだ万」などが揃い、セレブな雰囲気に包まれている。プールとジム、サウナを備えた会員制フィットネスは宿泊者なら3000円（税別）で利用可能。

☎052-251-2411 住名古屋市中区栄4-6-8 交地下鉄栄駅12番出口から徒歩5分 室564室 P300台（1泊1200円）●鉄筋16階建 MAP付録P8F3

ホテルで お食事＆ティータイム♪

フランス料理なら「ロワール」。ランチ7400円～、ディナー1万1800円～（ともに税・サ込）

アトリウムラウンジ「グリンデルワルド」でアフタヌーンティーセット4500円（税・サ込）を

伏見

ひるとんなごや

ヒルトン名古屋

国際感覚と和が融合したインターナショナルホテル

名駅と栄の間に位置するランドマーク。モダンな客室には安眠を追求したベッドと上質なフレグランスブランドのアメニティを用意。さらに3つのレストランや宿泊客無料のジム＆温水プール、ショッピングアーケードなど、充実の施設が揃う。☎052-212-1111 住名古屋市中区栄1-3-3 交地下鉄伏見駅6番出口から徒歩3分 室460室 P200台（1泊2000円）●1989年3月開業●鉄筋28階建 MAP付録P6F3

料金

- シングル 2万1131円～
- ツイン 2万3990円～
- IN 15時 OUT 12時

Note

和・洋・中・アジアンフード・エスニックなど80種類に及ぶ朝食ビュッフェは、小倉トーストやきしめんなどの名古屋めしも揃った充実の内容♪

名古屋城からインスピレーションを得た和モダンでデザインや機能性にも優れた客室

ホテルで お食事＆ティータイム♪

世界のトレンドとローカルをつなぐプレミアムビュッフェレストラン「インプレイス3-3」

テーマごとに変わるフォトジェニックなデザートビュッフェは、1階「インプレイス3-3」で。※季節により変更あり

※シングルは1名利用の1室、ダブルとツインは2名利用時の1室料金を表記しています

観光にもビジネスにもうれしい！疲れを癒やす安らぎの空間

広々としたゲストルームや充実したアメニティ・・・。
観光やビジネスなどどんな場面でもくつろげる空間で、日々の疲れを癒やそう。

名古屋駅

すとりんぐすほてる なごや

ストリングスホテル名古屋

既存のホテルカテゴリーから進化した、スペシャルな非日常空間

「その街に集うすべての人にご満足いただける、その街のライフスタイルホテル」をコンセプトに、客室、ガーデン、レストランなどすべてがハイクオリティなホテル。ロビーに入るとすぐラウンジ越しに見える大聖堂や、名古屋一の人気を誇るアフタヌーンティーなど、女性がときめく要素もたくさん詰まっている。

☎052-589-0577 住名古屋市中村区平池町4-60-7 交あおなみ線ささしまライブ駅から徒歩3分 室126室 P60台（1泊2000円）●2016年1月開業 ●鉄筋7階建 MAP付録P7C4

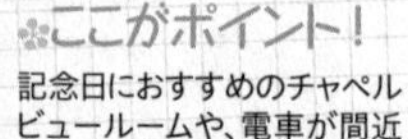

ここがポイント！

記念日におすすめのチャペルビュールームや、電車が間近に見えるトレインビュールームも用意。子どもから大人まで楽しめる。

1デラックスツインは広々とくつろげる 2チャペルビュールームから眺める大聖堂のライトアップ 3名古屋一の人気を誇るアフタヌーンティーは、季節ごとにスイーツが替わる

料金

- 1名利用　1万3000円～
- 2名利用　1万6000円～
- IN 15時 OUT 11時

千種

ほてるめるぱるくなごや

ホテルメルパルク名古屋

リーズナブルな料金と多彩なプランが魅力

快適な洋室を中心とした広めのツイン&シングル、和室やバリアフリーといった多彩な客室と、お得な宿泊プランで幅広い層に支持されている。人気の朝食付きプランをはじめ、名古屋港水族館チケット付きや、東山動物園チケット付きなどの宿泊プランが好評。

☎052-937-3535 住名古屋市東区葵3-16-16 交地下鉄千種駅1番出口から徒歩1分 室243室 P200台（1泊1000円）●2001年4月改装 ●鉄筋14階建MAP付録P12E4

ここがポイント！

1階ロビーの一角にあるラウンジ「リーフ」では、洗練された優雅な空間でゆったりとくつろげる。また、ラウンジに併設するペストリーショップでは、ケーキやタルト、焼き菓子などを取り揃えている。

料金

- シングル　8554円～
- ツイン　1万6870円～
- IN 15時 OUT 10時

1落ち着いた雰囲気のインテリアで快適に過ごせるデラックスツイン4万9896円～（2名1室）。53㎡の広さで、バスルームはシャワーブースも独立
2朝食は1階オールデイダイニング「パルケ・ミエール」で。和洋中バイキングのヘルシーランチブッフェも人気。平日2500円～、土・日曜、祝日2700円～

名古屋駅

めいてつぐらんどほてる

名鉄グランドホテル

名古屋駅からのアクセスは抜群 老舗シティホテル

名古屋駅前の抜群のロケーションに位置し、観光やビジネスの拠点として最適の環境。客室はゆったりとしたレイアウト、落ち着いた調度品が旅の疲れを癒やしてくれる。西洋料理、日本料理、北京宮廷料理の本格派レストランがあり、夜は最上階スカイラウンジでグラスを傾けるのもいい。朝食はできたてのオムレツや名古屋めしが楽しめる。老舗ホテルで安らぎのひとときを過ごそう。

☎052-582-2211 住名古屋市中村区名駅1-2-4 交名鉄名古屋駅から徒歩2分 室240室 P330台（1泊1200円）●1967年10月開業 ●鉄筋18階建 MAP付録P7C3

ここがポイント！

安らぎを追求したゲストルームで、観光やビジネスなどさまざまな目的で訪れた方に「我が家にいるような安心感」を。

1 落ち着きと安らぎを重視したゲストルーム
2 窓からは電車が行き交う様子が楽しめる、パノラマDXのコンセプトルーム
3 名古屋名物を一度に楽しめる「名古屋めしデラックス」

料金	
シングル	8800円～
ツイン	1万8200円～

IN 14時 OUT 11時

丸の内

じゃすといんぷれみあむなごやえき

ジャストインプレミアム 名古屋駅

アメニティ充実がうれしい 都市型ビジネスホテル

駅近で観光にもビジネスにも好立地。清潔感あふれる客室にはシモンズ社のオリジナルマットレスを導入、駅近でビジネス街に絶好のアクセス。レイトチェックアウトなどサービスも充実。

☎052-232-0003 住名古屋市中区丸の内1-13-9 交地下鉄国際センター駅から徒歩3分 室181室 P9台 ●2017年3月開業 ●鉄筋14階建 MAP付録P6F1

料金	
シングル	6600円～
ツイン	1万1000円～

IN 15時 OUT 11時

ここがポイント！

女性スタッフが女性目線で厳選したレディスアメニティ（化粧水など）、足指パッド、入浴剤などを1点プレゼント。

1 プレミアムツインの客室。幅1200mm、厚さ6.5インチのシモンズ製マットレスを全室導入。1階では選べる枕サービスなどを提供、快適な睡眠が得られる。全室にWi-Fiを完備
2 「名古屋めし」や「うなぎ」を楽しめる和洋バラエティに富んだビュッフェ朝食は1100円。好きな分だけ食べることができる

※シングルは1名利用の1室、ダブルとツインは2名利用時の1室料金を表記しています

シティホテル

女性一人でも安心して
宿泊できるプチプライスの
シティホテルをご案内。

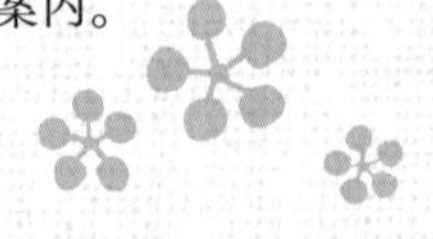

名古屋駅

だいわろいねっとほてるなごやえきまえ

ダイワロイネットホテル名古屋駅前

癒やしの女性専用ルームも!

全室が18㎡以上で、シングルでも154㎝幅ベッドでゆったり。レディースルーム(幅140㎝)もあり、特別アメニティ、フットマッサージャーなどの特典も。1階にはコンビニもある。DATA ☎052-541-3955 住名古屋市中村区名駅南1-23-20 交名古屋駅桜通口から徒歩5分 室188室 P32台(1泊1500円)※車両制限あり ¥シングル7600円～、ツイン1万4500円～ ⏰IN14時、OUT11時 ●2008年5月開業 ●鉄筋12階建 MAP付録P6D3

名古屋駅

りっちもんどほてる なごやしんかんせんぐち

リッチモンドホテル 名古屋新幹線口

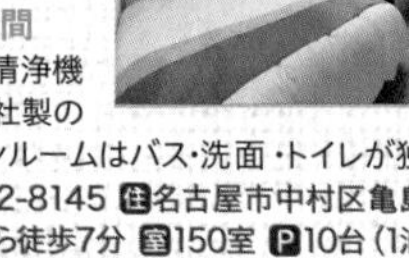

自宅のようにリラックスできる空間

全室禁煙で、無料Wi-Fi、空気清浄機を完備。シングルにはシモンズ社製のダブルベッドが用意され、ツインルームはバス・洗面・トイレが独立している。DATA ☎052-452-8145 住名古屋市中村区亀島2-12-3 交名古屋駅太閤通口から徒歩7分 室150室 P10台(1泊1500円、入庫制限あり) ¥シングル6000円～、ツイン1万円～ ⏰IN14時、OUT11時 ●2016年5月開業 ●鉄筋10階建 MAP付録P7B1

伏見

はみるとんほてる-れっどー

HAMILTON HOTEL-RED-

くつろぎの空間が広がる

赤をアクセントにしたモダンな客室は、25㎡以上の広さ。全室にシモンズベッドを導入している。足が伸ばせる広々としたバスルームも魅力。新鮮な野菜サラダが自慢の朝食は1000円。DATA ☎052-203-8310 住名古屋市中区栄2-7-5 交地下鉄伏見駅5番出口から徒歩4分 Pなし ¥シングル1万円、ツイン1万6000円 ⏰IN14時、OUT11時 ●2009年7月開業 ●鉄筋8階建 MAP付録P9B3

名古屋駅

めいてついん なごやさくらどおり

名鉄イン 名古屋桜通

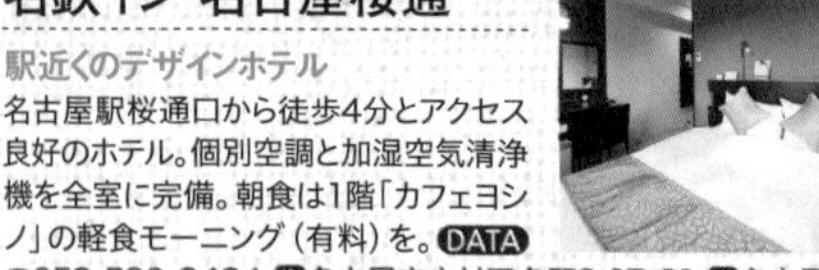

駅近くのデザインホテル

名古屋駅桜通口から徒歩4分とアクセス良好のホテル。個別空調と加湿空気清浄機を全室に完備。朝食は1階「カフェヨシノ」の軽食モーニング(有料)を。DATA ☎052-586-3434 住名古屋市中村区名駅3-17-21 交名古屋駅桜通口から徒歩4分 室98室 Pなし ¥シングル8000円～、ツイン1万2000円～ ⏰IN15時、OUT10時 ●2010年9月開業 ●鉄筋11階建 MAP付録P6D1

栄

さんこういんなごやにしき

三交イン名古屋錦

広々空間と充実のサービス

スタンダードルームでも幅140cmのダブルベッドを採用。最上階にある大浴場や、6種類の枕から選べる「まくらBAR」など、施設・サービスも充実。DATA ☎052-957-3537 住名古屋市中区錦3-7-23 交地下鉄栄駅1番出口から徒歩3分 室149室 Pなし(提携駐車場あり) ¥スタンダード5400円～、ツイン1万500円～ ⏰IN15時、OUT10時 ●2013年12月開業 ●鉄筋12階建 MAP付録P8D2

伏見

なごやびーずほてる

名古屋ビーズホテル

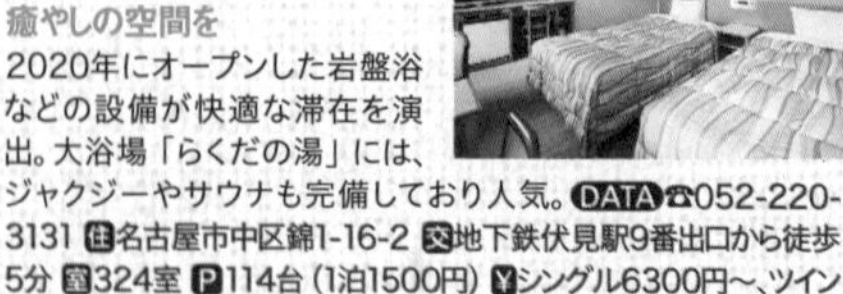

ジャクジーやサウナで癒やしの空間を

2020年にオープンした岩盤浴などの設備が快適な滞在を演出。大浴場「らくだの湯」には、ジャクジーやサウナも完備しており人気。DATA ☎052-220-3131 住名古屋市中区錦1-16-2 交地下鉄伏見駅9番出口から徒歩5分 室324室 P114台(1泊1500円) ¥シングル6300円～、ツイン1万4000円～ ⏰IN15時、OUT10時 ●鉄筋8階建 MAP付録P6F3

栄

らぐなすいーとなごや

ラグナスイート名古屋

リラックスムード漂うホテル

リゾート気分で過ごせるスタイリッシュなホテル。客室はアジアの高級ホテルを思わせるデザインで、上質なコイルを使用したベッドは窮屈感のないデュベスタイルの羽毛布団が心地いい。天むすお弁当の朝食付きプランが人気。DATA ☎052-954-0081 住名古屋市中区錦3-12-13 交地下鉄栄駅1番出口から徒歩3分 室84室 P40台(1泊1800円) ¥シングル9288円～、ツイン1万4580円～ ⏰IN15時、OUT11時 ●2007年6月開業 ●鉄筋8階建 MAP付録P9C2

駅近(駅から徒歩5分以内) リラクゼーション施設あり 客室インターネット レディスフロアあり アメニティ充実 ペット宿泊OK

まだまだみどころあります。ひと足延ばしてディープな名古屋へ

名古屋旅行の2日目は、少し遠出してみませんか？
国宝 犬山城が残る犬山や有名建築物が並ぶ明治村、
焼物好きなら瀬戸や常滑も人気があります。
飛行機で帰る人は、セントレアで過ごすのもおすすめ。

歴史が息づく城下町・犬山へ プチトリップに出かけましょう

戦国期には合戦の舞台、江戸時代には城下町として発展した犬山。国宝犬山城と木曽川の自然が残るそぞろ歩きが楽しいエリアです。

犬山って こんなところ

名勝木曽川のほとり、自然と調和してそびえる国宝 犬山城を中心に、400年の歴史を誇る城下町。国の登録有形文化財も多く、犬山市は平成21年（2009）にミシュラン・グリーンガイド・ジャポンでも2ツ星を獲得。レトロな雰囲気のなかに町家を利用した店が軒を連ね、散策も楽しい。

アクセス

電車：名古屋駅から名鉄犬山線快速特急・特急で犬山駅まで25分、犬山遊園駅まで27分

クルマ：名古屋ICから名神高速で小牧ICまで21km、国道41号、県道27号で12km

問合せ

☎0568-61-6000（犬山駅観光案内所）
MAP付録P2B1

モデルコース

所要4時間

名鉄犬山遊園駅
▼ 徒歩20分
国宝 犬山城
▼ 徒歩10分
三光稲荷神社
▼ 徒歩10分
どんでん館
▼ 徒歩10分
名鉄犬山駅

国宝 犬山城（こくほう いぬやまじょう）

木造天守からの景色は圧巻

信長の叔父・織田信康により天文6年（1537）に創建。平成16年（2004）までは、日本で唯一の個人所有の城だった。現存する日本最古の木造天守といわれ、国内で5城しかない国宝にも指定されている。初期の天守の姿を残し、貫禄たっぷり。小高い山の上に立ち、天守からは木曽川を眼下に、御嶽山や名古屋の高層ビル群まで望める。

☎0568-61-1711 住犬山市犬山北古券65-2 ¥550円 ⏰9～17時（入場は～16時30分）休無休 交名鉄犬山駅から徒歩20分 P140台 MAPP123

1 望楼型の天守からは絶景を眺められる
2 街の風景はまるで絵画を見ているかのよう
3 天守の扉は観音開き
4 上段の間は、城内で唯一の畳敷きに

さんこういなりじんじゃ
三光稲荷神社

国宝 犬山城主成瀬家の守護神

城山の麓に位置する古社で、天正14年（1586）の創建と伝えられる。昭和39年（1964）、現在地に移築され、福徳、開運厄除、良縁、夫婦和合などのご利益を求めて多くの参拝者が訪れる。近年ではかわいいピンクのハート絵馬が女性に人気。

☎0568-61-0702 住犬山市犬山北古券41-1 ¥ⓛ休見学自由 交名鉄犬山遊園駅から徒歩12分 P付近の駐車場を利用 MAP P123

1女性に人気のピンクのハート形絵馬 2朱塗りの鳥居が美しい 3御神水でお金を洗うと何倍にもなって返るという銭洗稲荷神社

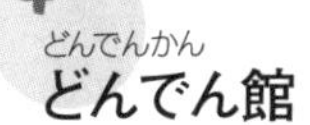

どんでんかん
どんでん館

犬山祭で曳かれる車山を展示

毎年4月第1土・日曜に行われる国の重要無形民俗文化財の犬山祭。その祭りを一年中体感できるようにと、光と音で祭りの一日を演出している展示館。館内には高さ8mの車山を4輌展示。うち1輌は提灯が灯る夜車山の姿で圧巻。

☎0568-65-1728 住犬山市犬山東古券62 ¥100円 ⓛ9〜17時（入館は〜16時30分）休無休 交名鉄犬山駅から徒歩10分 Pなし MAP P123

1犬山祭の車山が収納されている館の外観 2 1階の展示ホールでは、豪華絢爛な実物の車山が見られる

1300年の伝統漁法を見学「木曽川鵜飼」

ライトアップされた犬山城を背景に、鵜に川魚を捕らせる古代漁法・鵜飼が楽しめる。通常夜に行われるが、昼鵜飼も全国に先駆けて実施。弁当付きなど多彩なプランを選べるのも魅力。

☎0568-61-2727（木曽川観光）住犬山市犬山北白山平2番地先 ¥3500円〜 ⓛ6月〜10月15日開催、時間は季節により異なる（要事前予約）交犬山遊園駅から徒歩3分 P20台 MAP P123

◀川面を照らすかがり火の明かりが美しい

散策途中のひとやすみに！

みな蔵 みなぞう

築140年の武家風住宅にある提灯工房。提灯塗り絵体験で日本文化に触れてみよう。

☎0568-61-5274 住犬山市犬山南古券272堀部邸内 ⓛ12〜18時 休月・火曜（祝日の場合は翌日）Pなし MAP P123

提灯塗り絵体験3300円

▲下絵の描いてある提灯に、水彩絵の具で塗り絵をしてから、マスキングテープで装飾して仕上げる

山田五平餅店 やまだごへいもちてん

五平餅
だんご型 100円

▲ゴマ、クルミ、ピーナッツ入りの特製タレがクセになるおいしさ

店は築120年以上、国の登録有形文化財。香ばしくモチモチとした食感が人気の秘密。

☎0568-61-0593 住犬山市犬山東古券776 ⓛ11時〜16時30分 休月曜（祝日の場合は翌日）Pなし MAP P123

黒砂糖ときなこで作る素朴な「げんこつ飴」は犬山名物の一つ。市内のみやげ店などで購入できます。

明治村でタイムトリップ デザイン建築の粋が見られます

＋名古屋駅から 電車とバスで50分

欧米の文化を取り入れ、近代日本の基礎を築いた明治時代。
明治村では、巨匠たちが手がけた建造物を間近に見られます。

ここに注目!
吹き抜けロビーの四角にしつらえられた「光の籠柱」は、見る者を圧倒する!

はくぶつかん めいじむら 博物館 明治村

見学時間 所要 180分

明治～昭和初期の建造物を移築した野外博物館

国の重要文化財に指定された11件を含め、明治期を中心とした60以上の歴史的建造物を移築・保存。建物内には当時の調度品もしつらえてあり、かつての雰囲気をうかがい知ることができる。牛鍋やオムライスを食べたり貸衣装に身を包んでの記念撮影など、明治の文明開化を体感しよう。

☎0568-67-0314 住犬山市内山1 ¥2500円 ⏰9時30分～17時(時季により変動あり) 休要問合せ 交犬山駅から岐阜バス明治村行きで20分、終点下車すぐ P900台(1000円／回、12～2月は500円／回) MAP付録P2B1

必見 ていこくほてるちゅうおうげんかん 帝国ホテル中央玄関

建設 大正12年(1923)
設計 フランク・ロイド・ライト(アメリカ/1867-1959)

20世紀建築界の巨匠の設計による、帝国ホテルの中央玄関部。建築空間を平面的なつながりから立体的な構成へと発展させた世界的にも貴重な作品。

ここに注目!
入口扉は高価な木材種の木目を描く木目塗という技法で塗装されている

みえけんちょうしゃ 三重県庁舎

建設 明治12年(1879)

間口54m。玄関を軸に左右対称になっており、正面側には2層のベランダがめぐらされている。当時の典型的な官庁建築を見て取れる。

必見 せいよはねきょうかいどう 聖ヨハネ教会堂

建設 明治40年(1907)
設計 J.M.ガーディナー(アメリカ/1857-1925)

1階がレンガ造り、2階が木造、屋根は軽い金属板を使い、地震に配慮したと考えられる設計。構造自体が優れたデザインとして外観・内観に表れている。

ここに注目!
会堂内部は化粧の小屋裏が見える。天井は竹の簀で、光を反射させ開放感を演出

明治村の初代館長・谷口吉郎とは？

「明治期の建造物を後世に残したい」という思いを実現するため、現帝国劇場の設計者でもある谷口吉郎（たにぐちよしろう）は、金沢の旧制四高時代の級友・土川元夫（つちかわもとお）（当時名古屋鉄道社長、のちに同会長となる）に協力を求め、昭和40年(1965)に明治村を開村した。明治村では、解体されていく建造物のなかから価値のあるものを選び、順次移築復原を行った。

西郷従道邸
（さいごうつぐみちてい）

建設 明治13年（1880）

半円形のベランダが特徴的な木造総2階建て銅板葺の洋館。手摺りや扉金具など内部を飾る部品はほとんどが舶来品。

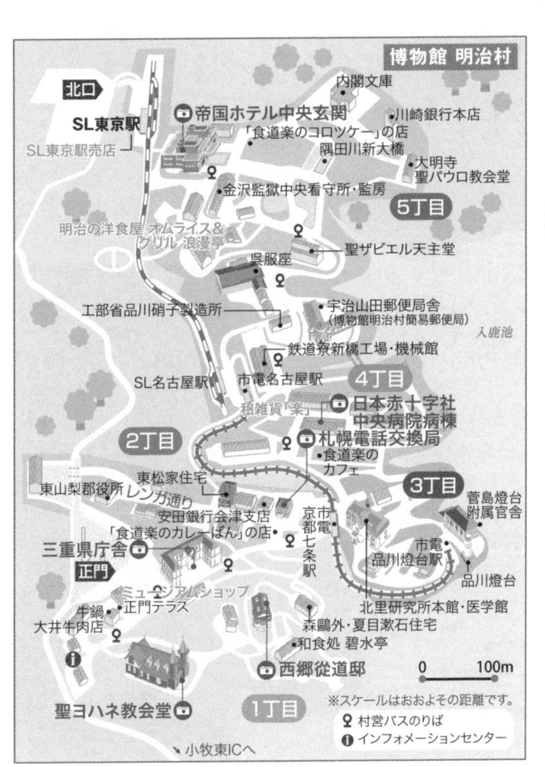

日本赤十字社中央病院病棟
（にほんせきじゅうじしゃちゅうおうびょういんびょうとう）

建設 明治23年（1890）
設計 片山東熊（日本/1854-1917）

分棟式の木造洋式病院で、赤坂離宮と同じ片山東熊の設計。ハーフ・ティンバーを模したデザインが基調となっている。

石造2階建て、桟瓦葺の建物。1階と2階の窓を違った形式にし、2階窓下に胴蛇腹花紋を通す手法は西欧でよく用いられた。

札幌電話交換局
（さっぽろでんわこうかんきょく）

建設 明治31年（1898）

明治の薫り漂うグルメ&おみやげ

明治村カステーラ（プレーン・抹茶）
各1250円
▲地元犬山特産の明治村花はちみつを使用した、明治村で人気のおみやげ（ミュージアムショップ、SL東京駅売店）

オムライス
1200円～
▲日本で生まれた洋食料理の代表格。さまざまなソースで楽しめる（明治の洋食屋 オムライス&グリル 浪漫亭）

明治村オリジナルSL風呂敷
2500円
▶明治村を走るSLやバラ客など8つのモチーフをあしらったオリジナルの大判風呂敷（ミュージアムショップ、SL東京駅販売店、和雑貨「楽」）

東海道の昔町・有松で江戸の風情を感じてみませんか？

+名古屋駅から
電車と徒歩で25分

国の伝統工芸品に指定される絞り染め「有松絞り」で有名な有松。
街道には絞り商家が今も残り、往時の雰囲気を伝えています。

+有松ってこんなところ

有松絞りの開祖・竹田庄九郎らにより東海道筋に誕生。街道沿いに日本の建築美を伝える絞り商家の家並みが残る。

アクセス
電車：名古屋駅から名鉄名古屋本線で有松駅まで20分
クルマ：名古屋ICから亀山線で有松ICまで14km、国道1号で1km

問合せ
☎052-972-2782
（名古屋市歴史まちづくり推進課）
MAP付録P3C4

▲県や市の文化財に指定される家屋。井桁屋もその一つで、店舗は築220余年の建物

モデルコース

所要2時間

井桁屋
▼徒歩1分
有松・鳴海絞会館
▼徒歩7分
絞りの久田 本店
▼徒歩5分
DASENKA・蔵 名古屋・有松店
▼徒歩1分
日本料理 やまと
▼徒歩2分
名鉄有松駅

井桁屋（いげたや）

絞り商家でおみやげ探し

寛政2年(1790)創業の老舗。バッグや洋服をはじめとする絞り製品を取り扱う。注目は2万7500円～販売される浴衣のB反品。常時100反は揃うので好みの生地を探して。
☎052-623-1235 住名古屋市緑区有松2313 ◷10～17時 休不定休 交名鉄有松駅から徒歩4分 P5台 MAPP127

ハンドタオル 各550円
▲巻き上げ絞り柄のハンドタオル

うちわ 2750円
▲浴衣姿で持ちたい絞りのうちわ

有松・鳴海絞会館（ありまつ・なるみしぼりかいかん）

有松・鳴海絞りを学ぼう

国の伝統工芸に指定されている有松・鳴海絞りの歴史や技術を紹介する施設。なかでも、絞り職人らによる「くくり」の実演は必見。1階では浴衣やバッグ、小物などの絞り製品を販売する。
☎052-621-0111 住名古屋市緑区有松3008 ¥300円 ◷9時30分～17時（実演は～16時30分）休無休（臨時休あり）交名鉄有松駅から徒歩4分 P10台 MAPP127
☞P65参照

▶古い道具も展示されている

▲有松駅から少し離れた場所に立つ。商品ジャンルもさまざま

金山へ
有松
岡邸
旧東海道
竹田邸
有松駅
イオンタウン有松
絞りの久田 本店
DASENKA・蔵 名古屋・有松店
日本料理 やまと
名鉄名古屋本線
cucuri
笠寺へ
井桁屋
有松・鳴海絞会館
知立へ
100m
有松ICへ
有松山車会館

しぼりのひさだ ほんてん

絞りの久田 本店

現代風のアイテムが多数

伝統的なアイテムはもちろん、400年の歴史を現代風にアレンジさせて、近年のトレンドに合わせたデザインも開発。店内に並ぶ小物類は、洋服とも合わせやすいのが特徴だ。

☎052-621-1067 住名古屋市緑区有松616 ⏰10～17時 休月曜 交名鉄有松駅から徒歩10分 P10台 MAP P127

ブックカバー 各2750円

◀さまざまな絞り柄がついたブックカバーは、やわらかな肌ざわりで使い心地抜群

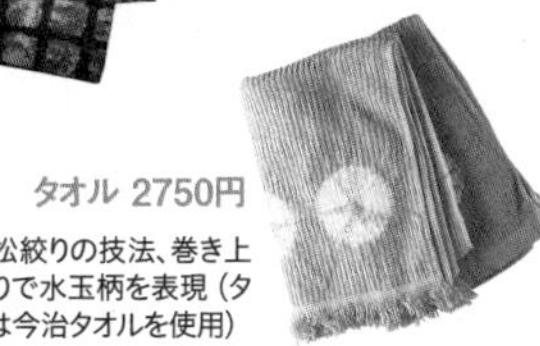

タオル 2750円

▶有松絞りの技法、巻き上げ絞りで水玉柄を表現（タオルは今治タオルを使用）

▲歴史を感じさせる外観

▲築80年以上の蔵を利用した店

しなもんちゃん
320円

▼香り高いシナモンペーストとクルミ入り

だーしぇんか・くら なごや・ありまつてん

DASENKA・蔵 名古屋・有松店

こだわりの薪窯パンをぜひ

小麦や自家製天然酵母など、素材にこだわった手作りパンが並ぶ。薪窯を使って焼き上げたパンは、常時30種類ほど用意されている。香ばしくて味わい深いので、いくつでも食べられそう！

☎052-624-0050 住名古屋市緑区有松2304 神半邸内 ⏰10～17時、カフェ11～16時(LO15時) 休月・火曜 交名鉄有松駅から徒歩3分 Pなし MAP P127

ダーシェンカ
1個1100円
1/2個550円

▼2種類のレーズンとクルミ入り

▲一期一会 天ぷら付き 3000円 ※写真はイメージ

にほんりょうり やまと

日本料理 やまと

絞り問屋の旧家でランチを

13代続いた絞り問屋・神谷半次郎の旧家内で本格和食を提供している。建物はリノベーションされ緑豊かな中庭も。会席は昼4000円～、夜6000円～（2日前までに要予約）。

☎052-622-3899 住名古屋市緑区有松2304 神半邸内 ⏰11～14時、17時30分～21時LO（要予約）休月・火曜 交名鉄有松駅から徒歩3分 P3台 MAP P127

せとものの街・瀬戸で 歴史と文化のお散歩しましょう

栄町駅から電車で30分

1000年以上の焼物の歴史を誇る、日本有数の陶磁器産地・瀬戸。
ギャラリーや工房を訪ね、"せともの(瀬戸焼)"の魅力を感じましょう。

瀬戸ってこんなところ

窯垣の小径では窯道具を使って築かれた壁や垣根が見られ、街の中心を流れる瀬戸川に架かる橋は焼物で装飾されており、窯業の街ならではの風情が漂う。ギャラリーや作陶体験のできる工房などが点在し、これらをたどりながら街歩きを楽しみたい。

アクセス

電車：栄町駅から名鉄瀬戸線急行で尾張瀬戸駅まで30分

クルマ：名古屋ICから東名高速日進JCT経由、名古屋瀬戸道路長久手IC下車。県道57号経由で14km

問合せ

瀬戸市まるっとミュージアム・観光協会
☎0561-85-2730 MAP付録P2C2

1 物づくりの心を感じる作品ばかりが並ぶ 2 100年の歴史建築が現代に蘇った

gallery もゆ

ぎゃらりーもゆ

築100年の古民家を改装したギャラリーには、若い感性があふれた作品が並ぶ。ひとつひとつ丁寧に作られた個性的な作品は見ごたえ満点。やわらかい泥で線を描く「いっちん」という技法を使った絵付け体験もでき、女性に人気（要予約）。

☎0561-85-8100 住瀬戸市朝日町48-1 ⏰11～17時 休火・水曜（祝日の場合は営業）交名鉄尾張瀬戸駅から徒歩4分 P共同駐車場あり MAP P128右中

モデルコース

所要3時間

- 名鉄尾張瀬戸駅
- ▼ 徒歩8分
- おもだか屋
- ▼ 徒歩15分
- 窯垣の小径資料館
- ▼ 徒歩15分
- 喫茶 サウサリート
- ▼ 徒歩5分
- galleryもゆ
- ▼ 徒歩4分
- 名鉄尾張瀬戸駅

瀬戸焼って？

日本六古窯で唯一、釉薬をかけて焼かれているのが特徴。食器や置物など、「せともの」は陶磁器の総称にもなっている。

おもだか屋

おもだかや

大正時代の商家を改築した趣のある店。多彩な招き猫や雛人形、干支置物など、季節の縁起和雑貨を販売。招き猫ミュージアム（☎0561-21-0345 ¥300円 ⏰10～17時 休火曜）も隣接している。

☎0561-87-1700 住瀬戸市薬師町3 ⏰10～17時 休火曜（祝日の場合は営業）交名鉄尾張瀬戸駅から徒歩8分 P20台 MAP P129左中

きっさ さうさりーと
喫茶 サウサリート

店の前にかわいい焼物のオブジェが置かれたカフェ。種類豊富なコーヒーや紅茶が瀬戸焼の器でいただける。シュガーポットも夏は涼しげな磁器、冬は温かみのある陶器と使い分けており、焼物の街ならではのこだわりが見られる。

☎0561-82-0584 住瀬戸市末広町2-9 ⏰9～18時 休火曜 交名鉄尾張瀬戸駅から徒歩9分 P市営宮川駐車場40台（1時間無料プラス2000円以上の飲食で1時間サービス券）MAP P129左

1街歩きに疲れたらちょっとひと休み 2カウンターの前にはたくさんの種類のコーヒーや紅茶が並ぶ

陶彦社
深川神社
陶壁
多治見へ
窯垣の小径資料館
銀座通り商店街
中橋
東橋
宮脇橋
宝泉寺
窯垣の小径ギャラリー
神明橋
宮前橋
招き猫ミュージアム
おもだか屋
窯垣の小径
せと末広町商店街
喫茶 サウサリート
赤津へ
城見山
瀬戸市新世紀工芸館
せと赤津ICへ

宝泉寺
市指定文化財の陶質十六羅漢塑像や、陶器職人が描いた天井画など、見ごたえのある古刹。

窯垣の小径
かつて陶工が行き来したメインストリートで、窯道具で築いた幾何学模様の壁や垣根がある小径。散策におすすめ。

かまがきのこみちしりょうかん
窯垣の小径資料館

明治後期の窯元宅を改修した資料館。焼物に関する貴重な資料を展示し、町の歴史や文化を紹介。日本の近代タイル第1号といわれる本業タイルで装飾された浴室やトイレは必見。

☎0561-85-2730(瀬戸市まるっとミュージアム・観光協会) 住瀬戸市仲洞町39 ⏰11～15時 休月～水曜 交名鉄尾張瀬戸駅から徒歩20分 P33台 MAP P129右中

瀬戸蔵ミュージアム
「20世紀の瀬戸」をテーマに街並みを再現。古陶磁器や民俗資料などを通して、せとものの生産工程や歴史を紹介する。
☎0561-97-1190
¥500円 ⏰9～18時（入館は～17時30分）
休月1回臨時休館あり
P189台

瀬戸市新世紀工芸館
陶磁器とガラス工芸をテーマにした展示施設。展示ギャラリーや、研修生の制作風景を見学できる工房がある。
☎0561-97-1001
¥無料 ⏰10～18時 休火曜（祝日の場合は翌平日）P市営駐車場利用

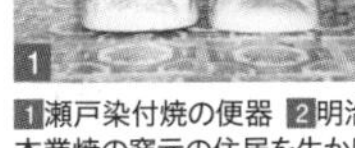

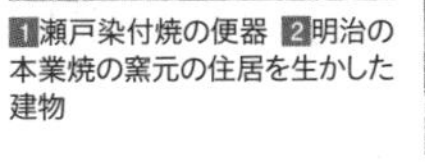

1瀬戸染付焼の便器 2明治の本業焼の窯元の住居を生かした建物

1店内の床には日本のタイルのルーツである本業タイルを使用 2縁起のよい招き猫1万1000円はおみやげにぴったり

瀬戸では醤油ベースのご当地焼きそば「瀬戸焼そば」も名物。パルティせとや商店街などで食べられます。

風情たっぷりの常滑で「Myうつわ」を探しましょ

古くからの焼物の町・常滑には、工房やギャラリーが立ち並びます。散策しながら気軽に立ち寄って、お気に入りの器を見つけましょう。

常滑ってこんなところ

平安時代末期から約1000年もの歴史と伝統を誇る焼物の町。「やきもの散歩道」とよばれる常滑駅南東の小高い丘周辺には、細い路地が迷路のように入り組み、常滑焼の工房やギャラリー、カフェなどが点在。常滑焼の作陶体験ができるスポットも多い。

アクセス

電車：名古屋駅から名鉄常滑線で常滑駅まで30分

クルマ：名古屋ICから名二環、知多半島道路、セントレアラインで常滑ICまで40km、一般道で約1km

問合せ

☎0569-34-8888（常滑市観光プラザ（観光案内所））
MAP付録P2B3

常滑・ギャラリーほたる子
とこなめ・ぎゃらりーほたるこ

国の重要有形民俗文化財「登窯」の前に位置し、地元常滑焼の作家作品が並ぶギャラリー。店主の作る愛らしい表情のお地蔵さんも人気。毎月イベントを開催している。

☎0569-36-0680 住常滑市栄町6-140 ⏰10～17時 休木曜 交名鉄常滑駅から徒歩10分 P3台 MAP P131

▼サバイデー作招き猫1210円～

▼大人気常滑焼の招き猫3740円。山田知代子作

morrina
もりーな

「器と暮らしの道具」をテーマに、地元で活躍する作家の焼き物を扱う。作家モノを初めて購入する人にも手に取りやすい価格なのがうれしい。全国から集めた手仕事の道具にも注目。

☎0569-34-6566 住常滑市栄町7-3 ⏰10～17時 休水曜 交名鉄常滑駅から徒歩11分 P共同あり（有料）MAP P131

▲「錬込」とよばれる伝統の技法で作られたマグカップ2750円。堀田拓見作

▼淡いグリーンの色合いとコロンとした丸みが美しいポット1万3200円。千葉光広作

モデルコース
所要3時間

名鉄常滑駅
▶徒歩5分
ni:no
▶徒歩6分
morrina
▶徒歩4分
常滑・ギャラリーほたる子
▶徒歩すぐ
登窯
▶徒歩すぐ
SPACEとこなべ
▶徒歩10分
名鉄常滑駅

1 9 国の重要有形民俗文化財。明治20年(1887)築の登窯。全長22mの窯最後部には10本の煙突が立ち並ぶ 2 焼物の塀が散歩道のあちこちに 3 常滑・ギャラリーほたる子店主、小池正作のお地蔵さん 4 ほたる子の一番人気、山田知代子作の招き猫1320円～ 5 廻船問屋 瀧田家の前のでんでん坂。壁には焼酎瓶が、坂道には窯用具のケサワが敷き詰められていて雰囲気がある 6 趣ある常滑・ギャラリーほたる子外観 7 morrinaの1階はショップ、2階はギャラリー 8 ni:noは陶磁器会館の東側にある長屋の真ん中 10 SPACEとこなべには斬新な作品も 11 SPACEとこなべ2階一角にある小上がり 12 製造工場として使われていた建物を利用したmorrina 13 こぢんまりとしたni:noの店内 14 ni:noの2階はカフェスペース

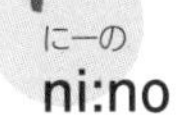

すぺーすとこなべ
SPACEとこなべ

◀鯉江廣作炭化くし目広口急須1万1000円

常滑在住の作家ものを取り扱う常滑焼の専門ショップ。伝統的な朱泥急須からコンテンポラリーな作品まで、ラインナップは幅広い。普段使いできるお手頃アイテムも多数揃うので探してみて。

☎0569-36-3222 住常滑市栄町6-204 ⏰10～17時 休月～金曜（祝日は営業）交名鉄常滑駅から徒歩10分 Pやきもの散歩道駐車場(有料)を利用 MAP P131

にーの
ni:no

◀ニコちゃんマグ2750円。澤田よしえが作る人気シリーズ

趣のある長屋を利用したカフェ＆雑貨店。1階には常滑焼をはじめ、文具、キッチンなど国内外の雑貨が所狭しと並ぶ。2階は長屋の間取りと雰囲気をセンスよく生かしたカフェ空間になっている。

☎0569-77-0157 住常滑市陶郷町1-1 ⏰10～17時（カフェは11時30分～16時30分LO）休木曜（祝日の場合は営業）交名鉄常滑駅から徒歩5分 P専用2台+散歩道共同駐車場(有料) MAP P131

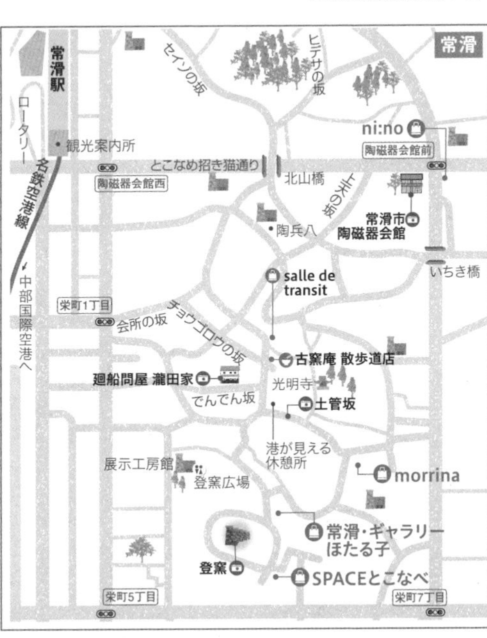

常滑は招き猫の生産量が日本一。とこなめ招き猫通りでは、巨大な招き猫や壁に埋め込まれた招き猫などに出合えます。

空の玄関口・セントレアは一日過ごせる複合施設です

＋名古屋駅から電車で28分

飛行機に乗る人はもちろん、乗らない人も楽しめるのがセントレア。レストランやショップが揃った一大レジャースポットです。

ちゅうぶこくさいくうこう せんとれあ

中部国際空港 セントレア

遊・食・買と揃ったエンタメ空港

平成17年（2005）に開港した中部エリアの空の玄関口。日本の主要な国際空港の一つであり、「エンタメ空港」としても人気。飛行機の離着陸はもちろん、名古屋グルメが味わえる食事処やセントレアならではのグッズを扱ったショッピング施設などが揃う。ミニライブや写真展といったイベントも不定期に開催。

☎0569-38-1195（セントレアテレホンセンター、受付6時40分～22時）住常滑市セントレア1-1 ⏰4時30分～23時30分（店舗により異なる）休無休 P7800台（1時間300円～）MAP付録P2B4

アクセス

電車：名古屋駅から名鉄特急ミュースカイで中部国際空港駅まで28分

クルマ：名古屋ICから名二環、知多半島道路、セントレアラインで48km

▲スカイデッキ。全長約300m、先端に行けば誘導路まで約50m

フライト・オブ・ドリームズ

中部国際空港セントレアにある、ボーイング787初号機の展示をメインとした商業施設。航空や空港について楽しく学んだり、飛行機の間近で遊べるフライトパークと、ボーイング創業の街シアトルをテーマにした商業エリア・シアトルテラスの2つのエリアで構成される。ボーイング787の迫力を間近に感じられるのはここだけ。1階の「LUXRY FLIGHT」では、シアトルから直輸入したボーインググッズや、エアライングッズ、飛行機に関連するおもちゃなど、商品を多数ラインナップ。

☎0569-38-1195 ¥入場無料（一部コンテンツ有料）⏰フライトパーク10～17時、シアトルテラスは～18時30分（店舗により異なる）休無休

4F スカイデッキ

間近で飛行機を眺められるオープンデッキ。滑走路に離発着する飛行機の轟音も迫力満点！ 晴れた日の夕景や、滑走路に誘導灯がともる夜もキレイ。

⏰7時～21時30分

スカイタウン

ちょうちん横丁

ターミナルビル4階北側。白壁の蔵や瓦屋根の町家が並んだレトロな空間に、約30軒の店が並ぶ。手羽先の「世界の山ちゃん」やカレーうどんの「若鯱家」など、名古屋グルメも堪能できる。⏰6時～22時30分

◀商業エリア ▲実機のスケールの大きさと迫力を間近で体感できる

3F 出発ロビー

セントレア銘品館

名古屋エリアはもちろん、東海三県から選りすぐりの「銘品」が揃う。老舗の和菓子や話題のスイーツ、名古屋名物の定番みやげまで、人気店が約60店も集まる。
6時30分～21時（期間限定催事コーナー8～20時）

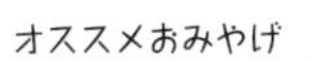

関谷醸造の「飛 fei」（純米大吟醸）
720mℓ3498円

▲「飛」というネーミングは、未来に向かって門戸を広げるセントレアをイメージしてつけられた。まろやかな口当たりと控えめな含み香、口に含むと甘みが広がるやさしい味わい

ダイナゴンの「ふわっとなごん」
5個入り864円 8個入り1382円

▶ふわふわのスポンジと軽やかなクリームがおいしい新感覚のお菓子。抹茶と黒糖の2種類で、抹茶には地元愛知県西尾市の特産である「西尾の抹茶」を使用。セントレア限定商品

▲セントレアのオリジナルキャラクター「なぞの旅人フー」

1F

センターピアガーデン

自然光と木々に包まれた屋内ガーデンで、各種作品を展示するギャラリーなどがある。

▲結婚式の会場としても使うことができる

もっとセントレアのこと知りたくないですか？

セグウェイ・ガイドツアー in セントレア

参加費用 60分コース3500円、120分コース7000円（それぞれ乗車講習付き）

誰でも簡単に操作できるセグウェイに乗り、ターミナルビル内やスカイデッキ、屋外の「セントレアガーデン」などを見学できるツアー。事前予約制で、16歳以上の2名から参加可能。
☎080-4222-2111 10時～、11時15分～、13時30分～、14時45分～、16時～（60分コース）・11時15分～（120分コース）

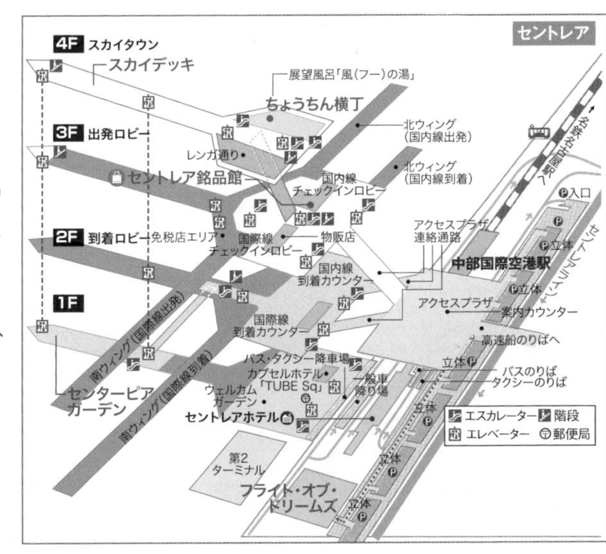

交通インフォメーション

名古屋へのアクセス

目的地まではどう行こう? 目的地内での移動はどうしよう?
出発地と、旅のスタイルにピッタリの交通手段を選んでみよう。

鉄道 -RAIL-

▶東京から

東京駅 → 新幹線「のぞみ」 → 名古屋駅
1時間37分　1万1300円　1時間4～7本

▶大阪から

新大阪駅 → 新幹線「のぞみ」 → 名古屋駅
49分　6680円　1時間4～6本

大阪難波駅 → 近鉄特急「ひのとり」 → 近鉄名古屋駅
2時間05分　4990円　1時間ごと
※プレミアムシート利用は5690円

▶福岡から

博多駅 → 新幹線「のぞみ」 → 名古屋駅
3時間19分　1万9310円　1時間2～3本

▶長野・北陸方面から

長野駅 → JR特急「しなの」 → 名古屋駅
3時間05分　7460円　ほぼ1時間ごと

金沢駅 → 新幹線「つるぎ」 → 敦賀駅 → JR特急「しらさぎ」 → 名古屋駅
2時間46分　9080円　1日8本

富山駅 → 新幹線「つるぎ」 → 敦賀駅 → JR特急「しらさぎ」 → 名古屋駅
3時間10分　1万70円　1日7本

▶東北方面から

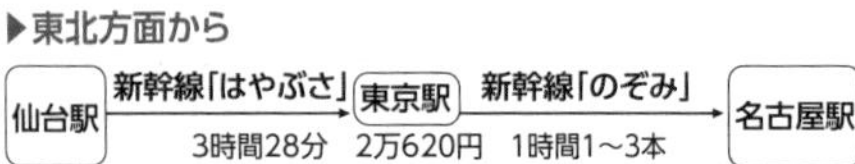

仙台駅 → 新幹線「はやぶさ」 → 東京駅 → 新幹線「のぞみ」 → 名古屋駅
3時間28分　2万620円　1時間1～3本

プランニングのヒント

東京駅、新大阪駅から東海道新幹線を利用する場合、「ひかり」を利用すると、少し割安になる。1時間に2本のみの運転だが、特急料金は東京駅・新大阪駅からの場合210円安くなる。特に東京駅毎時33分発、新大阪駅毎時48分発の「ひかり」は「のぞみ」と所要時間がほとんどかわらないのでおすすめ。

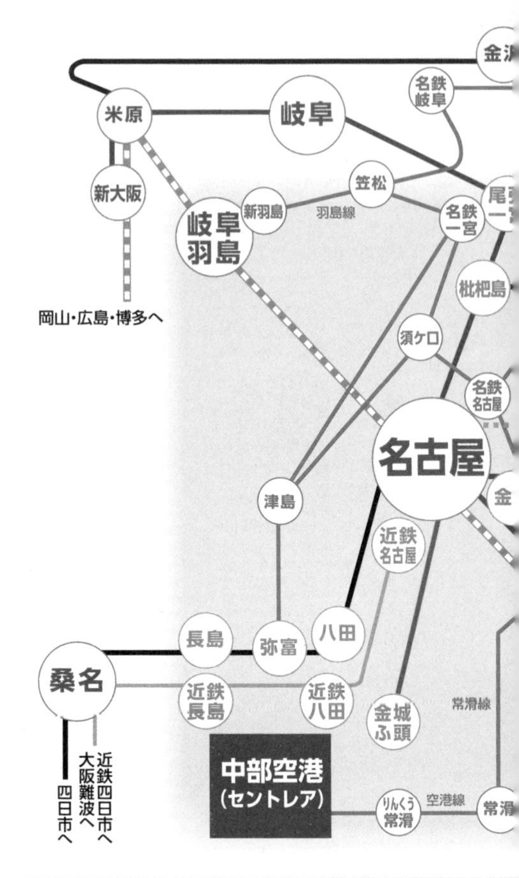

おトクな情報

EX早特21ワイド(JR東海・JR西日本)

東京駅・品川駅⇔名古屋駅	9800円
新横浜駅⇔名古屋駅	9140円
博多駅・小倉駅⇔名古屋駅	1万4100円

乗車21日前までの予約で、すべての「のぞみ」の普通車指定席が割引になる「EX早特21ワイド」がお得。ただし座席数限定なので、指定席に空きがあっても売り切れの場合も。年末年始やGW、お盆には設定のない日がある。予約後も手数料無料で変更が可能(ただし、差額は必要)。
新幹線の乗車駅から名古屋駅までのきっぷのため、乗車駅までの運賃と、名古屋駅から下車駅までの運賃は別に必要。
ネット予約サービス「スマートEX」のサイトから、会員登録とクレジットカードの登録をすると、年会費無料で気軽に利用できる。登録した手持ちの交通系ICカードでも乗車できる。

問合せ

鉄道

JR東海	☎ 050-3772-3910
JR西日本	☎ 0570-00-2486
近鉄(近畿日本鉄道)	☎ 050-3536-3957
名鉄(名古屋鉄道)	☎ 052-582-5151

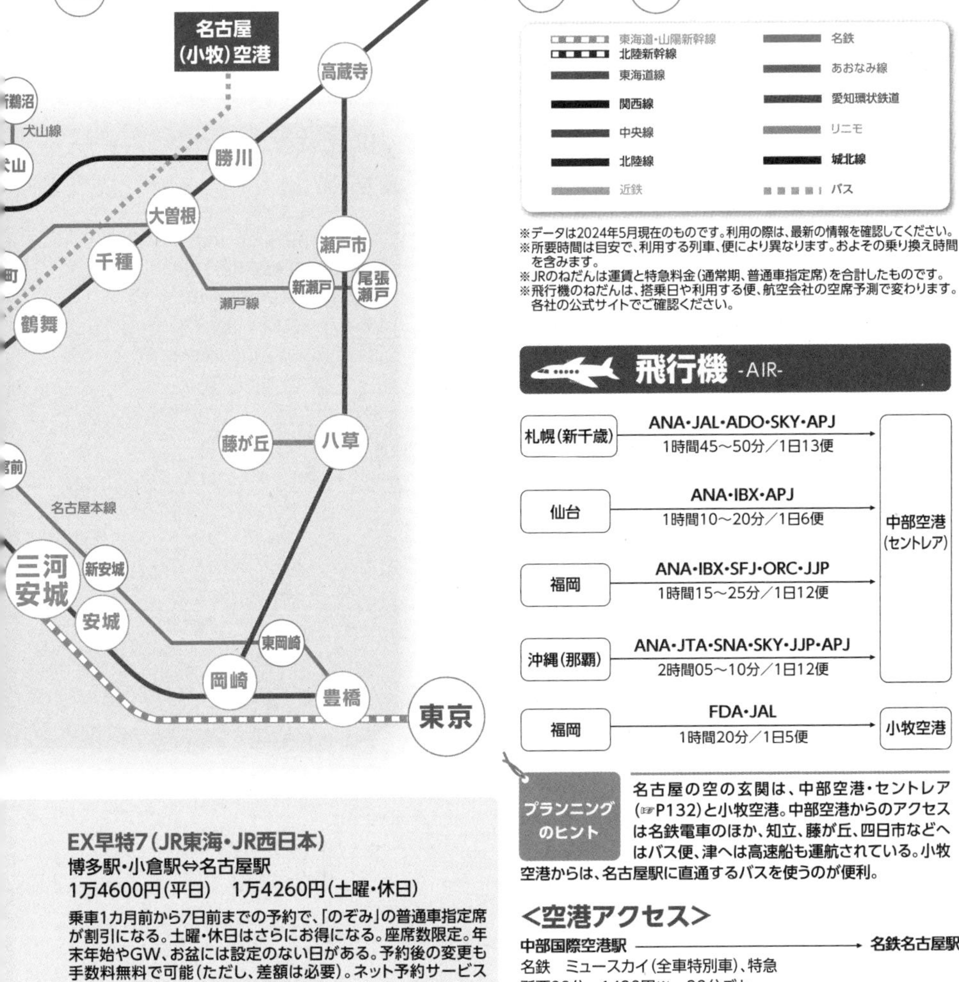

※データは2024年5月現在のものです。利用の際は、最新の情報を確認してください。
※所要時間は目安で、利用する列車、便により異なります。およその乗り換え時間を含みます。
※JRのねだんは運賃と特急料金(通常期、普通車指定席)を合計したものです。
※飛行機のねだんは、搭乗日や利用する便、航空会社の空席予測で変わります。各社の公式サイトでご確認ください。

飛行機 -AIR-

出発地	航空会社	所要時間/便数	到着
札幌(新千歳)	ANA・JAL・ADO・SKY・APJ	1時間45～50分/1日13便	中部空港(セントレア)
仙台	ANA・IBX・APJ	1時間10～20分/1日6便	中部空港(セントレア)
福岡	ANA・IBX・SFJ・ORC・JJP	1時間15～25分/1日12便	中部空港(セントレア)
沖縄(那覇)	ANA・JTA・SNA・SKY・JJP・APJ	2時間05～10分/1日12便	中部空港(セントレア)
福岡	FDA・JAL	1時間20分/1日5便	小牧空港

プランニングのヒント 名古屋の空の玄関は、中部空港・セントレア(☞P132)と小牧空港。中部空港からのアクセスは名鉄電車のほか、知立、藤が丘、四日市などへはバス便、津へは高速船も運航されている。小牧空港からは、名古屋駅に直通するバスを使うのが便利。

<空港アクセス>

中部国際空港駅 ――→ 名鉄名古屋駅
名鉄　ミュースカイ(全車特別車)、特急
所要28分　1430円※　30分ごと
※ミューチケット(450円)を含むねだん

名古屋(小牧)空港 ――→ 名古屋駅前(ミッドランドスクエア前)
あおい交通バス　所要35分　700円　1時間に1～3便

EX早特7(JR東海・JR西日本)

博多駅・小倉駅⇔名古屋駅
1万4600円(平日)　1万4260円(土曜・休日)

乗車1カ月前から7日前までの予約で、「のぞみ」の普通車指定席が割引になる。土曜・休日はさらにお得になる。座席数限定。年末年始やGW、お盆には設定のない日がある。予約後の変更も手数料無料で可能(ただし、差額は必要)。ネット予約サービス「スマートEX」のサイトから予約をする。

WEB早特7(JR西日本・JR東海)

福井駅⇔名古屋駅　5690円
金沢駅⇔名古屋駅　8170円
富山駅⇔名古屋市内　9060円

JR西日本のネット予約サイト「e5489」のみで乗車日の7日前まで発売する、北陸新幹線と特急の普通車指定席利用の北陸～名古屋間の片道きっぷ。年末年始やGW、お盆には設定のない日がある。2025年3月24日まで発売(利用は31日まで)。

問合せ

飛行機

ANA(全日空)	☎0570-029-222
JAL(日本航空)、JTA(日本トランスオーシャン航空)	☎0570-025-071
SFJ(スターフライヤー)	☎0570-07-3200
IBX(アイベックスエアラインズ)	☎0570-057-489
FDA(フジドリームエアラインズ)	☎0570-55-0489
SNA(ソラシドエア)	☎0570-037-283
ADO(エア・ドゥ)	☎011-707-1122
SKY(スカイマーク)	☎0570-039-283
ORC(オリエンタルエアブリッジ)	☎0570-064-380
JJP(ジェットスター)	☎0570-550-538
APJ(ピーチ)	☎0570-001-292

バス -BUS-

▶東京・新宿から（夜行便）

東京駅八重洲南口	JR東海バス「ドリームなごや号」 6時間31分～7時間59分 4500円～ 1日2～4便	名古屋駅

※一部の便にビジネスシート（7500円～）、クレイドルシート（6300円～）、3列シート（6000円～）の設備あり。また、三河豊田駅停車便あり。

東京駅八重洲南口	JRバス関東「ドリームなごや号」（春日井駅経由） 7時間20分 4500円～ 1日1便	名古屋駅

※バスタ新宿からも乗車可。クレイドルシート（6300円～）の設備あり。

東京駅八重洲南口	JR東海バス「ドリームなごや号」（岡崎駅経由） 7時間59分 4500円～ 1日1便	名古屋駅

※バスタ新宿からも乗車可。

バスタ新宿（新宿南口）	京王バス 7時間03～09分 5200円～ 1日2便	名鉄BC

※1000円の追加で「ひとりだけシート」が利用できる。

▶東京・新宿から（昼行便）

東京駅八重洲南口	JRバス関東・直行「新東名スーパーライナー」 4時間56分～5時間14分 5500円 1日9便	名古屋駅

※うち2便はバスタ新宿経由で5時間47分。一部の便にビジネスシート（6140円）、クレイドルシート（5500円）の設備あり。

東京駅八重洲南口	JRバス関東・超特急「スーパーライナー」 5時間58分～6時間16分 5500円 1日10便	名古屋駅
東京駅八重洲南口	JRバス関東・超特急「中央ライナーなごや」 6時間57分 5500円 1日1便	名古屋駅

※バスタ新宿からも乗車可。

バスタ新宿（新宿南口）	京王バス 6時間03～13分 5200円～ 1日2便	名鉄BC

※1000円の追加で「ひとりだけシート」が利用できる。

▶大阪から（昼行便）

大阪駅JR高速BT	西日本JRバス「名神ハイウェイバス」 2時間52分 3100円 1日9～13便	名古屋駅

※このほか、夜行便の「青春大阪ドリーム名古屋号」（3560円～）も運行。

▶福岡から（夜行便）

博多BT・西鉄天神高速BT	西鉄バス「どんたく号」 11時間15分 8800円～ 1日1便	名鉄BC

プランニングのヒント

東京ー名古屋間では、昼行高速バスという選択肢を考慮にいれてみるのも面白い。所要時間も約6時間で、青春18きっぷなどで普通列車を乗り継いで行くよりは早い。途中SAなどに寄っての休憩時間もあり、旅気分を存分に味わえる意外な楽しさも。

問合せ

バス

JRバス関東	☎0570-048905
JR東海バス	☎0570-048939
西日本JRバス	☎0570-00-2424
京王バス	☎03-5376-2222
名鉄バス	☎052-582-0489
あおい交通（名古屋空港直行バス）	☎0568-79-6464

車で行くなら

東京方面から

東京IC	東名高速→新東名高速→東名高速 315km 高速料金7320円 約3時間20分	名古屋IC
高井戸IC	中央道 352km 高速料金8000円 約4時間30分	小牧IC

長野・北陸方面から

長野IC	上信越道→長野道→中央道 251km 高速料金5990円 約3時間10分	小牧IC
富山IC	北陸道→東海北陸道→名神高速 221km 高速料金5450円 約2時間50分	一宮IC
金沢東IC	北陸道→東海北陸道→名神高速 213km 高速料金5300円 約2時間50分	一宮IC
金沢西IC	北陸道→名神高速 223km 高速料金5440円 約2時間30分	一宮IC

京都・大阪方面から

京都東IC	名神高速→新名神高速→東名阪道 111km 高速料金3220円 約1時間15分	名古屋西IC
京都東IC	名神高速 123km 高速料金3470円 約1時間25分	一宮IC
吹田IC（名神）	名神高速→新名神高速→東名阪道 148km 高速料金4150円 約1時間55分	名古屋西IC
吹田IC（名神）	名神高速 160km 高速料金4390円 約2時間05分	一宮IC
吹田本線IC（近畿道）	近畿道→西名阪道→国道25号（名阪国道）→東名阪道 180km 高速料金3330円 約2時間45分	名古屋西IC
西宮IC	名神高速 181km 高速料金4920円 約2時間05分	一宮IC
西宮IC	名神高速→新名神高速→東名阪道 169km 高速料金4680円 約1時間55分	名古屋西IC

プランニングのヒント

名古屋市内での交通は、地下鉄やバスで移動するほうが渋滞にも遭わず便利だが、周辺観光も一緒にしたい場合は、車でアクセスするというのもひとつの手。その場合、出発地によって、名古屋市内へのアクセスポイントが異なるので、あらかじめチェックしておこう。東京方面からは、東名名古屋IC、長野方面からは、中央道から名神小牧IC、北陸方面からは名神一宮IC、京都・大阪などの関西方面からは東名阪道名古屋西ICへ。それぞれのICから名古屋高速に入って、市内・目的地にアプローチすることになる。

※高速料金は、普通車平日ETC利用の通行料金を記載してあります。
※曜日や時間帯によって割引があります。詳しくはNEXCO各社の公式サイトなどで確認してください。

問合せ

日本道路交通情報センター 東海北陸地方・愛知情報	☎050-3369-6623
名古屋高速情報	☎050-3369-6677
NEXCO中日本（お客さまセンター）	☎0120-922-229
〃 （有料）	☎052-223-0333

名古屋駅ナビ

JR名古屋駅は東海道新幹線と東海道線、中央線などの在来線が頻繁に発着するターミナル駅で、名鉄の名鉄名古屋駅、近鉄の近鉄名古屋駅と名古屋市営地下鉄の駅が隣接する。

乗り換え案内

新幹線　→　JR在来線（東海道・中央・関西線）
新幹線は一段高くなったところにあるホームに発着する。新幹線と在来線との乗り換えには7～8分を見ておくとよい。

新幹線・JR在来線　→　あおなみ線（リニア・鉄道館方面へ）
あおなみ線は在来線と同じ構内の南側にホームがあるので、JR線との乗り換えには一度改札口を出て、太閤通口側のあおなみ線改札口を入る。乗り換えには8～10分くらいかかる。

新幹線・JR在来線　→　市営地下鉄
名古屋駅に乗り入れているのは、桜通線と東山線の2つ。栄エリアに行くなら東山線に乗り換え。東山線は桜通口側の地下に、桜通線はJR中央コンコースの地下に、それぞれホームがあるので、乗り換えに10～15分くらい見ておこう。

新幹線・JR在来線　→　名鉄・近鉄
名鉄、近鉄とも、桜通口側の地下ホームとなっており、新幹線からだと乗り換えに15分以上かかるので覚えておこう。

プランニングのヒント
名鉄、近鉄、地下鉄、名鉄バスセンター、市バスのりばなど、ほとんどの乗り換えが東京から大阪に向かって進行方向右側の桜通口にある。太閤通口には、JRハイウェイバスのりばなどがある。

名古屋駅構内図

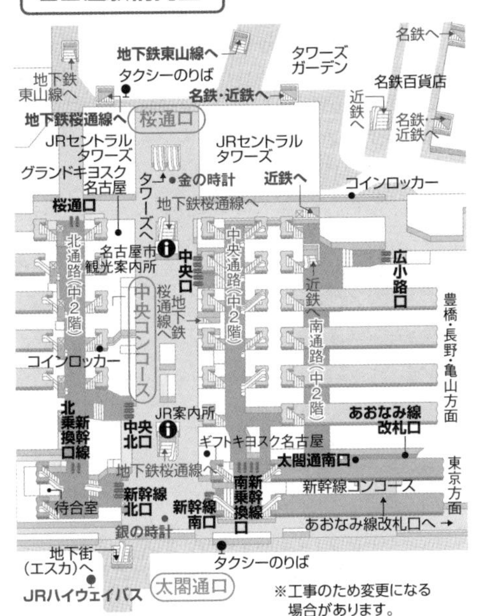

※工事のため変更になる場合があります。

交通プラスネタ

リニア中央新幹線!?

東京・品川～名古屋間で建設中のリニア中央新幹線。開通すれば東京とわずか40分程度で結ばれる予定で、名古屋から東京に通勤することも可能になるかも？ だが、南アルプストンネル着工のメドが立たず、また各地で工事に遅れが出ており、予定の2027年どころか2034年の開通もあやしくなってきた。なお、大阪までは2045年開通の予定となっている。

ゆとりーとライン

高架の専用道を走るバスで、都心部を離れると、途中で道路に下りてそのまま走る。大曽根と高蔵寺とを結ぶ。
問い合わせは☎052-758-5620（名古屋ガイドウェイバス）

フェリー（太平洋フェリー）

東北・北海道からは、フェリーで名古屋入りする方法もある。太平洋フェリーの豪華船「いしかり」「きそ」「きたかみ」で優雅な船旅を楽しめる。苫小牧～仙台～名古屋を隔日運航。デラックスなロイヤルスイートから一般的な2等船室まで多種類のカテゴリーの船室がある。2等で苫小牧からは1万2300円～、仙台からは8200円～。苫小牧から2泊3日、仙台からは1泊2日。名古屋港フェリーターミナルは、あおなみ線野跡駅からバスで15分。
問い合わせは予約センター☎050-3535-1163

リニモ（愛知高速交通）

地下鉄東山線の終点・藤が丘駅と愛知環状鉄道の八草駅との間を結ぶリニアモーターで走る電車。「愛・地球博記念公園」「ジブリパーク」などへの観光に便利。1日乗車券は800円。
問い合わせは☎0561-61-4781

あおなみ線（名古屋臨海高速鉄道）

JR名古屋駅と同じ構内の南側にある、あおなみ線乗り場に発着し、「リニア・鉄道館」のある、名古屋港の金城ふ頭までを結ぶ。名古屋―金城ふ頭間は、所要24分、360円。
問い合わせは☎052-383-0960

名古屋でのアクセス

名古屋市内での移動は、地下鉄をうまく乗りこなすのがコツ。みどころを結んでいる観光ルートバス「メーグル」も合わせると効率がいい。周辺へは、名鉄、近鉄、JRを利用しよう。

市内の移動は地下鉄を乗りこなして

名古屋市内には、名古屋市交通局が運営している6つの地下鉄路線があって、名古屋城、栄エリアをはじめ市内にあるみどころをまわるのに便利。市内をぐるっと環状運転しているのが名城線で、名古屋駅に乗り入れている東山線と、栄駅、本山駅で接続している。もう1本、名古屋駅には桜通線が乗り入れていて、栄エリアへはこの線も利用できる。また鶴舞線は両端で、名鉄犬山線、名鉄豊田線に乗り入れていて、直通運転をしている。

バスを利用するなら「メーグル」

観光に便利なのが、名古屋のみどころを結んで走る観光ルートバス「メーグル」。名古屋駅桜通口の名古屋駅BT⑪のりばから20～40分ごと(平日は30～60分ごと。ただし月曜(休日の場合は直後の平日)と年末年始は運休)に運行され、名古屋城や中部電力MIRAI TOWERなどをまわる。1回乗車210円。車内で買える1DAYチケット(500円)なら、名古屋駅BT⑨のりばから広小路通経由で栄エリアに直行する市バスC-758系統「都心ループバス」(日中10分間隔)にも乗れるので便利。しかも、このチケットを提示すれば入場料や飲食代の割引などの特典がある。

おトクな情報

バス・地下鉄全線一日乗車券　870円
市バスと地下鉄の全線が1日乗り降り自由。

地下鉄全線24時間券　760円
地下鉄全線が24時間乗り降り自由。

バス全線一日乗車券　620円
市バス全線が1日乗り降り自由。

ドニチエコきっぷ　620円
土・日曜、祝日および毎月8日(環境保全の日)限定で、市バス・地下鉄全線が1日乗り降り自由。

※地下鉄駅券売機、市バス車内、市バス営業所、交通局サービスセンターなどで発売。
問合せ先:名古屋市バス・地下鉄テレホンセンター
☎052-522-0111

名古屋周辺へのアクセス

名鉄(名古屋鉄道)

名古屋から、犬山、岐阜、常滑、瀬戸、豊田方面へは名鉄の各線が延びていて、名古屋の鉄道アクセスの主力となっている。各方面に特急電車も走っていて、特急の一部には特別車を連結(中部国際空港発着の名鉄空港特急「ミュースカイ」は全車特別車)している。特別車は、すべて座席指定で乗車には特別車両券ミューチケット(450円)が必要。

●名鉄電車全線1DAYフリーきっぷ
名鉄電車全線が1日乗り降り自由で3400円。観光施設の割引特典も付く。2日間使える「名鉄電車全線2DAYフリーきっぷ」もあり4400円。名鉄の主な駅で発売。いずれも特別車の利用には、別に特別車両券ミューチケット(450円)が必要。

近鉄(近畿日本鉄道)

桑名、四日市方面には、JRよりも近鉄を利用しよう。近鉄名古屋駅～桑名駅間を往復するなら「桑名～近鉄名古屋特割きっぷ」(900円・2日間有効)がオススメ。普通にきっぷを購入するより160円おトクになる。

JR

JR名古屋駅を通るJR線には、東海道新幹線のほか、東海道線、中央線、関西線がある。長距離の移動にはJRが便利。

●青空フリーパス
名古屋周辺のJR在来線が、土・日曜、祝日または12月30日～1月3日のうちの1日乗り降り自由で、2620円。フリー区間は東海道線二川～米原間・大垣～美濃赤坂間、中央線名古屋～木曽平沢間、高山線岐阜～下呂間、太多線全線、関西線・紀勢線・参宮線名古屋～亀山～紀伊長島間・多気～鳥羽間、伊勢鉄道全線、名松線全線、武豊線全線、飯田線豊橋～飯田間と、非常にワイドなきっぷ。新快速、快速などをうまく利用して移動時間を短縮すれば、グンとおトクな旅が楽しめる。新幹線には乗れないが、別途特急券を買えば在来線の特急には乗車できる。

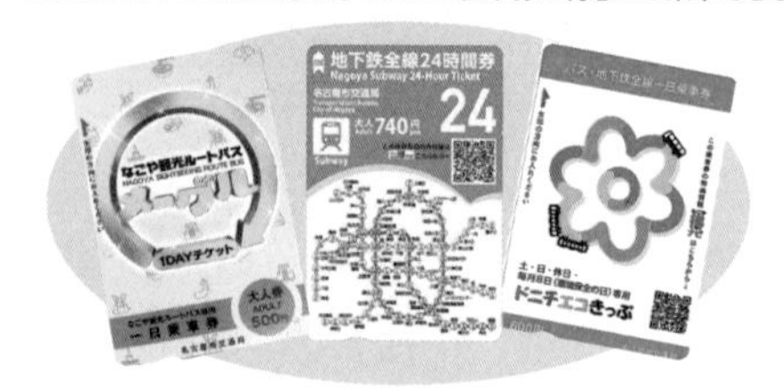

鉄道路線マップ

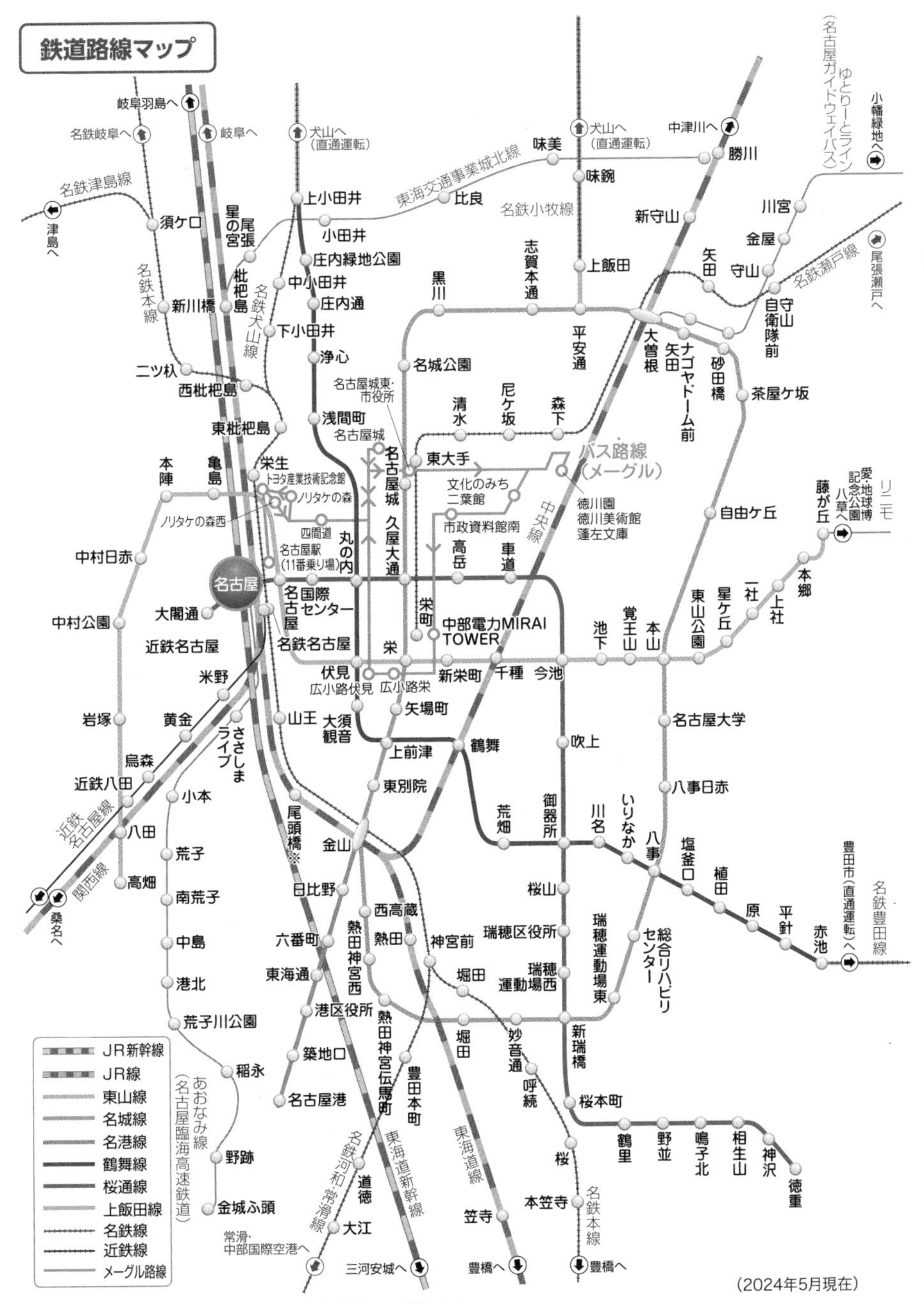

(2024年5月現在)

※尾頭橋駅には東海道線の電車のみ停車します。

名古屋の知っておきたいことい ろいろ

旅に出かける前に、名古屋をちょこっとだけ予習しましょう。
インプットしておけば、初めての名古屋をより楽しめます。

観ておきたい作品

名古屋にまつわる映画や小説などをピックアップ。事前に観ておけば、名古屋の裏側も見えてくる!?

映画『ビリギャル』DVD スタンダード・エディション

©2015映画「ビリギャル」製作委員会

成績は学年ビリの名古屋の高校生、さやか。金髪超ミニの彼女が突然、学習塾に来て、超難関の慶應大学を目指すことに。塾講師の坪田と二人三脚の受験勉強が始まったが果して結末は？

発売元：TBS／販売元：東宝／2015年／出演：有村架純、伊藤淳史、野村周平／監督：土井裕泰／3850円

十四歳の遠距離恋愛

2000年の名古屋が舞台。ロリータに邁進した結果、クラス中からバカにされた私をかばってくれたのは柔道バカの藤森君。2人は付き合うことになったが、彼が東京に転校。障害の多い恋の行方は!?

集英社文庫／2013年／嶽本野ばら著／540円（税込）

1980アイコ十六歳

名古屋市内の県立高校に通う16歳の高校生・三田アイコ。夏から冬までの学園生活をリアルにユーモラスに描いて、圧倒的な共感を呼んだ青春小説の古典。1981年度の第18回文藝賞受賞作。

河出文庫／2006年／堀田あけみ著／616円（税込）

読んでおきたい地元本

いわゆる"情報誌"とは一線を画す個性的な地元本をセレクト。精読すれば、名古屋人顔負けの情報通に！

名古屋の喫茶店　完全版

レトロな喫茶、自家焙煎のお店から最新店まで。老いも若きも魅了する名古屋喫茶を一冊に。一度は訪れたい厳選100軒を大公開！

リベラル社／2019年／大竹敏之著／1620円（税込）

パン屋さんぽ　愛知・岐阜・三重編

人気のパン屋さんや昔からの味を守る店、自家製パンを食べられるカフェなどを紹介。パンのおいしい食べ方などのコラムも充実。

リベラル社／2013年／石臥博代監修／1512円（税込）

名古屋めし

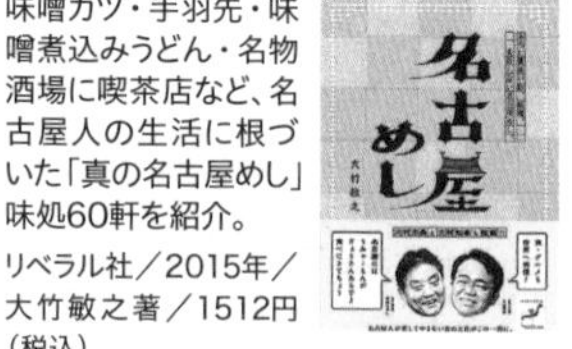

味噌カツ・手羽先・味噌煮込みうどん・名物酒場に喫茶店など、名古屋人の生活に根づいた「真の名古屋めし」味処60軒を紹介。

リベラル社／2015年／大竹敏之著／1512円（税込）

名古屋メン

味噌煮込みうどん、きしめん、台湾ラーメンなど、名古屋の麺処を紹介。名物の誕生秘話やおみやげカタログなど、コラムも充実。

リベラル社／2012年／大竹敏之著／1512円（税込）

ローカルキャラ

今や全国区となった東山動植物園のズーボをはじめ、名古屋で人気のご当地キャラクターをご紹介。

©Nagoya City

ズーボ

東山動植物園に出没する東山の森の妖精。語尾を繰り返して話す特徴がある。いろんなものを"つなぐ"ことが得意。

なぞの旅人 フー

中部国際空港 セントレアを拠点に旅をするなぞの旅人。国籍、年齢、職業はなぞに包まれているが、世界中に友達がいる。

名古屋の方言

関西でも関東でもない名古屋は、聞いたこともないような方言の宝庫。こんな言葉、聞いたことある？

えらい ………疲れる
おそがい ………恐ろしい
けった ………自転車
ごぶれいします ………失礼します
こわける ………壊れる
ちんちん ………熱い
つる ………モノを移動させる
どえりゃ ………とても
ほかる ………捨てる
やっとかめ ………久しぶり
わや ………台無し

ローカルお菓子

子どものころから食べてきたあのお菓子、実は“Made in 名古屋”なんデス！スーパーやコンビニでお求めを。

しるこサンド

北海道あずきとリンゴジャム、ハチミツで作った餡を、ビスケット生地ではさんで焼いた、松永製菓のロングセラー菓子。

マーブルガム

誰でも一度は食べたことのある(?) おなじみのガム。オレンジ、グレープのほか、6粒入りにはイチゴ味も。丸川製菓。

クッピーラムネ

名古屋駄菓子の代名詞ともいえるラムネ菓子はカクダイ製菓が製造。定番のレモン以外に、ブドウやオレンジ味も。

グリーン豆

平成25年(2013)に発売40周年を迎えた、春日井製菓のロングセラー豆菓子。社名は創業者の名字で、春日井市とは無関係。

アルファベットチョコレート

昭和45年(1970)の発売以来愛され続ける一口チョコ。製造元の名糖産業のサイトにはチョコを使ったレシピも。

花の名所

名古屋の春を美しく彩る代表的な花スポットを紹介。桜やチューリップなど、春爛漫の花風景を楽しもう！

山崎川

石川橋～落合橋間の約2.5㎞の川沿いに約600本の桜が咲く。開花中には一部でライトアップも。☎052-831-6161（瑞穂土木事務所）住名古屋市瑞穂区田辺通3丁目ほか MAP付録P3C3

名古屋城

ソメイヨシノやしだれ桜など、約10種約1000本を観賞できる。毎年3月下旬～4月中旬の夜桜期間中は、桜と天守をライトアップ。

DATA☞P68

東山動植物園

3月上旬～4月下旬、植物園エリアにある桜の回廊では糸桜や黄緑色の花をつける御衣黄など、100種1000本の桜が楽しめる。

DATA☞P100

徳川園

4月中旬～下旬は春のボタンが見頃を迎える。園内には赤や白、ピンクなど約1000株が植えられ、早咲きから遅咲きまで次々と開花する。

DATA☞P74

名城公園

公園南側のお堀沿いには延長約660mの藤の廻廊が続く。すぐ南には名古屋城が見える。見頃は4月中旬～下旬。☎052-913-0087（名城公園フラワープラザ）住名古屋市北区名城1-2-25 MAP付録P13B1

祭り・イベント

伝統的な祭りから最新のイベントまで、名古屋までわざわざ見に行きたい5つの祭り・イベントを厳選して紹介！

6月 熱田まつり

6月5日に行われる熱田神宮の例祭で、数ある祭典のなかで最も重要かつ荘厳な祭り。夕刻になると献灯まきわらが灯され、神宮公園では奉納花火大会も。

DATA☞P108（熱田神宮）

7月 海の日名古屋みなと祭

山車や流しおどりなど多彩なイベントが行われ、花火がフィナーレを飾る。☎052-654-7894（海の日名古屋みなと祭協賛会事務局）住名古屋港ガーデンふ頭一帯 MAP P106

8月 にっぽんど真ん中祭り

国内外から集まった約200チーム2万人以上が地域色豊かな踊りを披露する市民参加型の祭り。©にっぽんど真ん中祭り

☎052-241-4333（公益財団法人にっぽんど真ん中祭り文化財団）住久屋大通公園ほか20カ所 MAP付録P8E4

URL:https://www.domatsuri.com/

10月 有松天満社 秋季大祭

10月第1日曜に開催される秋の大祭。市の無形民俗文化財に指定された3輌の山車が無電柱化した有松東海道を勇壮に曳き廻される。夜は提燈も灯り、盛り上がりをみせる。☎052-621-0111（有松・鳴海絞会館）住名古屋市緑区有松山3008 MAP付録P3C4

10月 名古屋まつり

昭和30年に始まった名古屋最大の秋祭。信長ら三英傑が行進する郷土英傑行列は圧巻。2024年は10月19・20日に開催。

☎052-972-7611（名古屋まつり協進会）住名古屋市内中心部 MAP付録P8D2

INDEX さくいん

あ

Archer 94
愛知県美術館 86
愛・地球博記念公園（モリコロパーク） 103
あいち航空ミュージアム 100
青柳総本家 大須本店 90
青柳総本家 KITTE名古屋店 49
味処 叶 17
當り屋本店 30
熱田神宮 108
あつた蓬莱軒 神宮店 20
THE APARTMENT STORE 95
有松・鳴海絞会館 65・126
あんかけ太郎 71
井桁屋 126
いば昇 21
魚正宗 56
うなぎ・和食 しら河 浄心本店 21
ウルフギャング・パック レストラン&カフェ 愛知芸術文化センター店 98
エスカ 46
エノテーカ ピンキオーリ名古屋 55
海老どて食堂 28
eric-life/cafe molly 99
オアシス２１ 85
大須観音 90
大須シネマ 99
大須のきしめん 24・46
オーベルジュ・ド・リル ナゴヤ 54
岡崎城 79
御菓司所 芳光 36
屋外展望台 スカイプロムナード 97
尾毛多セコ代 柳橋市場店 63
桶狭間古戦場公園 79
おもだか屋 128
尾張蕎麦と天丼 徳川忠兵衛 71

か

覚王山アパート 110
覚王山 日泰寺 111
加藤珈琲店 89
cafe&wine Mamma Mia LABORATORY なんてこった研究所 99
café vincennes deux 89
カフェジャンシアーヌJR名古屋駅店 39
CAFE CEREZA 88
CAFE DINER POP★OVER 71
Cafe Downey ゲートタワー店 53
CAFÉ TANAKA本店 34
Café de Lyon Bleu 60
カフェ ド シエル 58
カフェヨシノ 名駅店 33
窯垣の小径資料館 129
川井屋 25
ガーデンレストラン徳川園 75
ガトー・デュラ・メール・スリアン 35
きしめんのよしだ エスカ店 24
木曽川鵜飼 123
喫茶 サウサリート 129
喫茶マウンテン 27
喫茶ユキ 27
喫茶リッチ 97
キッチン欧味 28
KITTE名古屋 49
キハチ カフェ 53
Candle shop kinari 92
旧豊田家の門・塀 76
旧豊田佐助邸 76
旧春田鉄次郎邸 77
京甘味 文の助茶屋 名古屋店 53
京都イオリカフェ 96
今日実 95
清洲城 79
金シャチ横丁 71
ギフトキヨスク名古屋 39
gallery+cafe blanka 52
galleryもゆ 128
Cucina Italiana PER ADESSO TOKAI 49
CRAFT BEER KOYOEN 49
クルーズ名古屋 97
蔵人厨ねのひ 名古屋駅前店 57
グランドキヨスク名古屋 39
ゲートウォーク 46
コーヒーハウスかこ 花車本店 33
国宝 犬山城 122
伍味酉 本店 19
コンパル 大須本店 32

さ

サイアムガーデン 51
西条園 抹茶カフェ 48
サカエチカ 99
SAKAE HIROBAs 85
栄 森の地下街 99
サラマンジェ ドゥ カジノ 50
山海百味そら豆 57
三光稲荷神社 123
三交イン名古屋錦 120
SUNSHINE SAKAE 85
三平 61
サンロード 46
THE SHOP十二ヵ月 92
THE ONE AND ONLY -NAGOYA- 58
シェ・シバタ名古屋 34
四間道ガラス館 60
四間道レストラン MATSUURA 61
四季の蔵 右近 60
絞りの久田 本店 127
島正 30
JRセントラルタワーズ 96
ジェイアール名古屋タカシマヤ 39・96
ジブリパーク 102
ジムノペディア2号店 94
ジャストインプレミアム名古屋駅 119
地雷也 本店 29
スカイラウンジ ジーニス 59
寿がきや食品 23
スガキヤ セントラルパーク店 27
ストリングスホテル 名古屋 118
スパゲッティ・ハウス ヨコイ 住吉本店 26
SPACEとこなべ 131
世界の山ちゃん 本店 18
セントラルパーク 99
セントレア銘品館 133
創作名古屋めし まかまか本店 19

た

タカシマヤ ゲートタワーモール 96
大黒屋本店 37
大名古屋ビルヂング 48
ダイワロイネットホテル名古屋駅前 120
DASENKA・蔵 名古屋・有松店 127
ダブルトールカフェ名古屋 98
チカマチラウンジ 47
中国台湾料理 味仙 今池本店 27
中国飯店 麗穂 56
中日ビル 85
中部国際空港 セントレア 132
中部電力 MIRAI TOWER 84
天ぷらとワイン 小島本店 62
天狼院書店「名古屋天狼院」 84
ディアボロバンビーナ 56

みどころ・寺社　レストラン・食事処　カフェ・喫茶　ナイト・BAR　みやげ店・ショップ　宿泊施設　立ち寄り湯

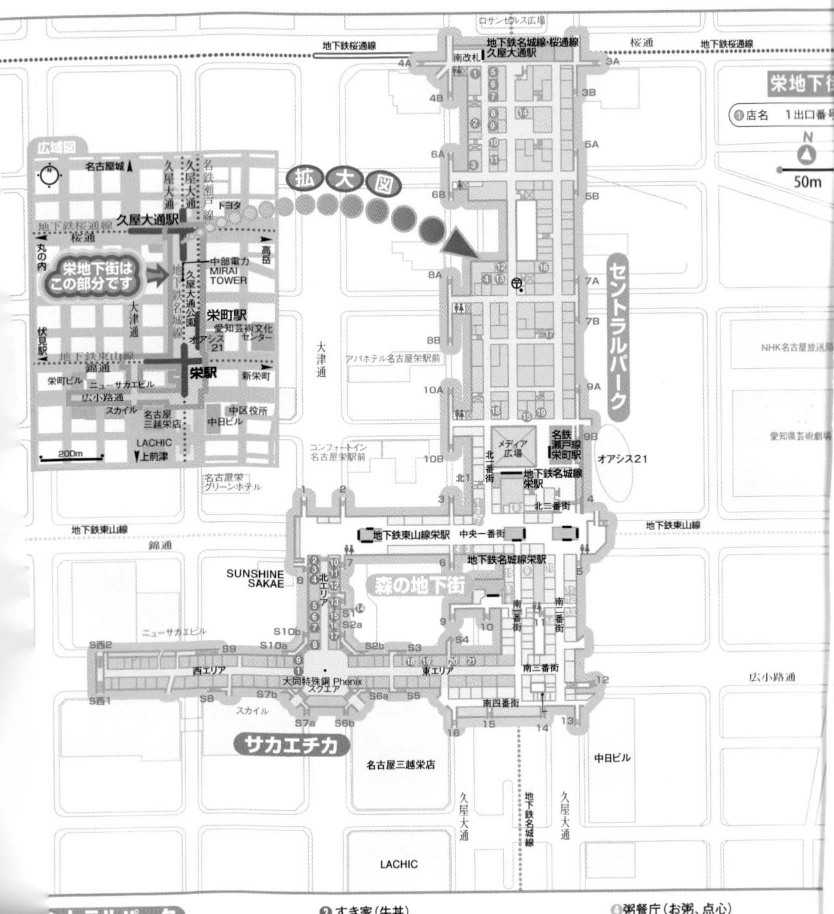

セントラルパーク

OTTERIA(ハンバーガー)
…手打ちうどん杵屋(うどん、味噌カツ丼)
…キヤ(ラーメン)
…所 コメダ珈琲店 セントラルパーク店
…茶、モーニング、シロノワール)
…味(鶏料理)
…家(牛丼)
…かつの藤(味噌かつ)
…ぷら 松月(天ぷら)
…ぶり専門店 丼丼亭(丼)
…ん焼き仙台 辺見(牛タン)
…そば処そじ坊(そば)
…ーバックス(カフェ)
…eseとはちみつ(洋食)
…LY'S COFFEE(カフェ)
…O COFFEE(カフェ)
…POPO(デリ、グローサリー)
… SELECT(スーツ)
…クニック(ファッション)
…&TULPE(コスメ)

サカエチカ

…こあまいあんぱんや(ベーカリー)
② すき家(牛丼)
③ エビスバー(ビヤバー)
④ 妙香園(ほうじ茶)
⑤ 蕎麦いまゐ(そば)
⑥ 牛たん焼き 仙台辺見(牛たん)
⑦ とんかつ新宿さぼてん(とんかつ)
⑧ にぎりたて(おにぎり)
⑨ カスカード(ベーカリー)
⑩ 卵と私(オムライス)
⑪ メルヘン(サンドイッチ)
⑫ ドトールコーヒー(カフェ)
⑬ えびのや(天ぷら)
⑭ カルディコーヒーファーム(輸入食品)
⑮ 松月(うなぎ)
⑯ 東鮓本店(寿司)
⑰ 鶏三和(親子丼・鶏惣菜)
⑱ 星乃珈琲店(カフェ)
⑲ ノナラパール(生タピオカ&フルーツティー専門店)
⑳ 大和屋守口漬総本家(守口漬)
㉑ カッピングルーム(珈琲豆)

森の地下街

① 先斗入ル(京風スパゲッティー)
② 想吃担担面(担々麺)
③ KANEYA -fruit works-(果物・果実飲料)
④ 粥餐庁(お粥、点心)
⑤ 地雷也サカエチカ店(天むす)
⑥ 酒津屋中店(和食)
⑦ 廣寿司(寿司)
⑧ CAFÉ de CRIÉ(カフェ)
⑨ コンパル栄西店(喫茶)
⑩ VIE DE FRANCE(ベーカリー)
⑪ 酒津屋東店(和食)
⑫ ビアードパパの作りたて工房(洋菓子
⑬ 鈴波栄南店(味淋粕漬)
⑭ コンパル栄東店(喫茶、エビフライサ
⑮ Eins(喫茶・洋菓子)

栄地下街
主要ショップ & レストランリスト

伝串 新時代 名駅広小路店 …… 97
陶芸教室・工房・ギャラリー 歩知歩智 …… 110
徳川園 …… 74・79
徳川美術館 …… 72
常滑・ギャラリーほたる子 …… 130
豊國神社 …… 78
トヨタ産業技術記念館 …… 65
トヨタ博物館 …… 65
鳥開 総本家 名駅西口店 …… 19
鶏だしおでん さもん …… 49
とんかつのとん八 …… 17
とんちゃんや ふじ …… 31
どんでん館 …… 123

な

中茂 …… 96
那古野茶屋 …… 71
名古屋うまいもん通り …… 47
名古屋観光ホテル …… 117
名古屋港シートレインランド …… 100
名古屋港水族館 …… 106
名古屋港ポートビル …… 100
名古屋コーチン親子丼 酉しみず …… 48
名古屋市科学館 …… 87
名古屋市市政資料館 …… 76
名古屋市秀吉清正記念館 …… 79
名古屋市美術館 …… 86
名古屋城 …… 68・78
名古屋東急ホテル …… 117
名古屋ビーズホテル …… 120
名古屋マリオットアソシアホテル …… 116
名古屋三越 栄店 …… 98
名代きしめん 住よし 新幹線上りホーム店 …… 25
南極観測船ふじ …… 100
ni:no …… 131
にこみのたから …… 23
西原珈琲店 栄店 …… 88
二の丸茶亭 …… 69
日本料理 やまと …… 127
ノリタケの森 …… 65
のんき屋 …… 30

は

博物館 明治村 …… 124
花桔梗 …… 36
はね海老 …… 28
HAMILTON HOTEL-RED- …… 120
針金細工八百魚 …… 110
梅花堂 …… 37
坂角総本舗 …… 29
万松寺 …… 78
バンテリンドーム ナゴヤ …… 100
Pâtisserie AZUR …… 35
パパブブレ 名駅店 …… 49
東山動植物園 …… 100
Hisaya-odori Park …… 84
ひつまぶし名古屋備長 大名古屋ビルヂング店 …… 48
平打ち麺 㐂しや …… 25
ヒルトン名古屋 …… 117
ヒロヴァーナ …… 96
ビストリア ギャッツビー …… 51
BINO栄 …… 99
PEANUTS Cafe 名古屋 …… 84
ぴよりんSTATION Cafe gentiane …… 97
PEU・CONNU …… 90
pinchos …… 110
風来坊 エスカ店 …… 19
フォルテシモ アッシュ …… 35
不朽園 …… 36
フライト・オブ・ドリームズ …… 132
フランス料理 ミクニナゴヤ …… 55
古川美術館／分館 爲三郎記念館 …… 100
古本カフェ 甘露 …… 110
フレンチレストラン ペルージュ …… 51
不老園正光 …… 37
BUCYO COFEE …… 52
文化のみち橦木館 …… 77
文化のみち二葉館 …… 77
PLACE au SOLEIL …… 34
宝善亭 …… 73
星が丘テラス …… 100
ホテルメルパルク名古屋 …… 118
ほぼ栄駅一番出口のれん街 …… 99
本店 鯱乃家 …… 26

ま

まぐろやさん柳橋 …… 63
まことや …… 23
松坂屋名古屋店 …… 98
豆*豆(いつまでも手芸部) …… 110
マルナカ食品センター …… 62
マンハッタンロールアイスクリーム 名古屋大須店 …… 91
みそ煮込みの角丸 …… 23
ミッドランドスクエア …… 97
三菱UFJ銀行 貨幣・浮世絵ミュージアム …… 79
みな蔵 …… 123
美奈登 …… 31
美濃忠 …… 37
宮鍵 …… 21
宮きしめん 神宮店 …… 108
宮の渡し公園 …… 109
名駅立呑 おお島 …… 57
名鉄イン 名古屋桜通 …… 120
名鉄グランドホテル …… 119
名鉄百貨店本店 …… 39・97
めいふつ天むす 千寿本店 …… 29
モーニング喫茶リヨン …… 33
モノコト …… 93
morrina …… 130

や

焼とんかつの店 たいら …… 17
柳橋中央市場 …… 62
柳橋ビアガーデン …… 63
矢場とん 矢場町本店 …… 16
やぶ屋今池本店 …… 31
ヤマザキマザック美術館 …… 98
山田五平餅店 …… 123
山虎 …… 48
山本屋本店 エスカ店 …… 22
ユニモール …… 47
揚輝荘 …… 111

ら

ラグナスイート名古屋 …… 120
ラシック …… 98
リオン菓子店 …… 32
李さんの台湾名物屋台本店 …… 91
リッチモンドホテル 名古屋新幹線口 …… 120
リニア・鉄道館 ～夢と想い出のミュージアム～ …… 112
レゴランド®・ジャパン・リゾート …… 114
レストラン キルン …… 55
レストラン デュボネ …… 77
レニエ グランメゾン …… 35
ROCCA & FRIENDS CREPERIE to TEA 名古屋 …… 120
London Cupcakes …… 111

わ

Wine Lounge & Restaurant Cépages …… 59

取りはずして使える
特別付録

ココミル

名古屋

街歩きMAP

- 名古屋周辺 P2
- 名古屋全図 P3
- 名古屋中心図 P4-5
- 名古屋駅周辺 P6-7
- 栄 北 P8-9
- 栄 南・大須 P10-11
- 名古屋城・徳川園 P12-13
- 名古屋駅地下街 P14
- 栄地下街 P15

名古屋周辺
5km
犬山 P123
瀬戸 P128
常滑 P131
付録P3
岐阜県
愛知県
三重県
岐阜駅
大垣駅
犬山駅
尾張一宮駅
名古屋駅
金山駅
熱田駅
大曽根駅
名古屋城
愛知県庁
県営名古屋空港
トヨタ博物館
ジブリパーク
愛・地球博記念公園（モリコロパーク）
岡崎城
中部国際空港セントレア
伊勢湾
三河湾
知多湾
名古屋港

名古屋全図
2km
N
一宮ICへ
犬山駅へ
小牧ICへ
小牧駅へ
岩倉市
一宮市
小牧市
尾張一宮駅へ
高蔵寺駅へ
犬山寺駅
徳重・名古屋芸大駅
牛山駅
豊山町
県営名古屋空港
春日井駅
北名古屋市
北名古屋市役所
西春駅
稲沢駅
稲沢市
東海道本線
名鉄犬山線
名鉄小牧線
名古屋高速16号一宮線
名古屋高速11号小牧線
名岐バイパス
春日井市役所
春日井市
あいち航空ミュージアム
P.100
味美駅
中央本線
春日井駅
奥田駅へ
楠JCT
名古屋第二環状自動車道
山田東
山田西
平田
清洲東
楠
勝川
松河戸
大里駅
清洲駅
比良駅
味美駅
勝川駅
味鋺駅
北区
新川中橋
勝川橋
岐阜羽島駅へ
名鉄名古屋本線
東海道新幹線
清洲城
P.79
城北線
小田井駅
レニエ グランメゾン P.35
名古屋ガイドウェイバス
小幡緑地公園
尾張瀬戸駅へ
尾張星の宮駅
庄内緑地
CAFÉ TANAKA本店 P.34
小幡
清洲西
清須市
枇杷島駅
名古屋高速1号楠線
名古屋市西区
守山区
丸ノ内駅
清須市役所
新守山駅
上飯田駅
瀬戸街道
大森
甚目寺北
甚目寺駅
黒川駅
名鉄瀬戸線
小幡駅
瓢箪山駅
名鉄津島線
あま市
須ヶ口駅
東枇杷島駅
名古屋高速6号清須線
尼ヶ坂駅
清水駅
大曽根駅
地下鉄名城線
津島駅へ
甚目寺南
名古屋城
森下駅
バンテリンドーム ナゴヤ
上社ICへ
P.79
名古屋市秀吉清正記念館
栄生駅
東大手駅
名古屋城駅
名古屋市役所
愛知県庁
東区
千種区
大治北
P.100
星が丘テラス
名東区
P.78
豊國神社
久屋大通駅
星ヶ丘三越
名古屋駅
丸の内駅
栄町駅
平和公園
太閤通駅
伏見駅
栄駅
地下鉄東山線
千種駅
今池駅
マ・メゾン星ヶ丘本店
大治町
中村区
蟹江ICへ
大治南
米野駅
矢場町駅
本山駅
藤ヶ丘駅へ
名古屋高速5号万場線
中区
ささしまライブ駅
黄金駅
鶴舞駅
東山スカイタワー
名古屋西JCT
烏森駅
P.100・141
東山動植物園
弥富駅へ
千音寺南
八田駅
山王駅
昭和区
名古屋高速2号東山線
関西本線
小本駅
尾頭橋駅
御器所駅
高針JCTへ
春田駅
近鉄名古屋線
金山駅
高畑駅
荒子駅
付録P4-5
花桔梗 P.36
八事駅
地下鉄鶴舞線
赤池駅へ
戸田駅へ
西高蔵駅
美奈登 P.31
富田
中川区
南荒子駅
名古屋高速4号東海線
熱田駅
瑞穂区
塩釜口駅
中島駅
環状線
熱田神宮西駅
神宮前駅
富田
熱田神宮
P.108
熱田 P109
熱田神宮伝馬町駅
新瑞橋駅
天白公園
熱田区
山崎川 P.141
高針JCTへ
港北駅
豊田本町駅
地下鉄名港線
南区
天白区
港区
道徳駅
戸笠池
荒子川公園駅
野並駅
地下鉄桜通線
南陽
本笠寺駅
鳴海
庄内新川橋
名古屋港水族館
名古屋港駅
大江駅
笠寺駅
名古屋第二環状自動車道
P.106
稲永駅
徳重駅へ
日光川
名古屋港 P106
東名古屋港駅
名鉄名古屋本線
名古屋港
有松 P127
緑区
飛島北
日光川大橋
名鉄常滑線
鳴海駅
四日市へ
野跡駅
名古屋高速4号東海線
有松天満社秋季大祭 P.141
名古屋臨海高速鉄道あおなみ線
名古屋高速3号大高線
大高駅
左京山駅
有松駅
飛島村
天白川
東海道本線
東海道新幹線
有松
飛島北
大高緑地
前後駅
知立駅へ
弥富湾岸ICへ
名和駅
中京競馬場前駅
弥富市
名港中央
名港潮見
東海
大高
知多半島道路
南大高駅
桶狭間古戦場公園
P.79
金城ふ頭駅
伊勢湾岸自動車道
東海JCT
大府
名古屋南JCT
豊明市
飛島JCT
飛島
レゴランド®・ジャパン・リゾート
P.114
リニア・鉄道館
～夢と想い出のミュージアム～ P.112
東海市
東海
名四国道
豊明
大府
大府西
名古屋南
聚楽園駅
大府市
三河安城駅へ
クリエーターズマーケット P.93
豊田南ICへ
知多へ
大府東海ICへ
大府駅へ
A
B
C
1
2
3
4
19
22
41
302
153
154
1
23
247

勝川ICへ
新守山駅へ
小幡緑地へ
小幡駅へ
平安通駅
長母寺
守山駅
守山
瀬戸街道
瓢箪山駅
守山自衛隊前駅
矢田川橋
名鉄瀬戸線
城下
平安二丁目
矢田駅
守山区
東大曽根
宮前橋
大曽根四丁目
大曽根駅
ナゴヤドーム前矢田駅
砂田橋駅
矢田川
千代田橋
矢田五
名古屋ガイドウェイバス
大曽根
名城大
砂田橋
環状線
至学館高
千種中
森下駅
千代田橋南
バンテリンドームナゴヤ
P.100
出来町通
茶屋ヶ坂駅
徳川園
旭丘高
谷口
市立大
古出来町
地下鉄名城線
東海高
東区役所
名古屋経済大 市邨高
名古屋天満通局
天満通
東区
自由ヶ丘駅
愛知県 がんセンター
千種公園
千種区
愛知大
車道駅
市立大東部医療センター
猫ヶ洞池
焼とんかつの店 たいら P.17
メルパルク NAGOYA
フォルテシモ アッシュ P.35
内山町
ナゴヤセントラルガーデン
覚王山 日泰寺 P.111
千種駅
千郷町
地下鉄東山線
今池駅
當り屋本店
P.30
古川美術館／分館 爲三郎記念館
P.100
London Cupcakes P.111
今池
愛知学院大
名古屋猫洞局
池下駅
揚輝荘 P.111
P.25 平打ち麺 氏しや
広小路通
千種区役所 (改築中)
ルブラ王山
末盛通2
覚王山駅
シェ・シバタ 名古屋 P.34
猫洞通
キッチン欧味 P.28
飯田街道
名古屋大久手局
P.110 覚王山アパート
60
本山駅
東山
梅花堂 P.37
東山通
今池・池下・覚王山
名古屋東山局
名古屋春岡局
椙山女学園高
田進通
P.110 陶芸教室・工房・ギャラリー歩知歩智
田代本通3
東山公園駅
吹上公園北
中道
名古屋高速2号東山線
星ヶ丘駅へ
吹上東出入口
吹上駅
青柳町6
四谷入口
東山動植物園 P.100・141
春岡入口
PLACE au SOLEIL P.34
吹上公園
阿由知通1
鏡池
名古屋大
東山トンネル
阿由知通
山崎川
川原通
飯田街道
153
安田通
名古屋大学駅
山手グリーンロード
名古屋北山局
56
高針JCTへ
川原通7
御器所
名古屋川名局
御器所通
地下鉄鶴舞線
昭和区役所
川名
昭和署
御器所駅
川名駅
山中
南山大
南山大人類学博物館
喫茶マウンテン P.27
中京高
昭和区
名古屋檀渓通局
聖霊病院
名古屋第二赤十字病院
地下鉄桜通線
南山高
いりなか駅
滝川小
八事日赤駅
向陽高
環状線
檀渓通
まことや P.23
八事
山手通
桜山
檀渓通4
昭和美術館
八事山 興正寺
天白区
桜山駅
市立大病院
瑞穂区役所駅へ
八事駅へ
八事駅へ

名古屋中心図
500m
清洲東ICへ
庄内通駅へ
楠JCTへ
付録P12-13
付録P6-7
付録P8-9
付録P10-11
黒川駅
黒川出入口
P.26 本店 鯱乃家
北区役所
名古屋市
北区
浄心駅
名古屋浄心局
名古屋柳原局
西区
西署
西区役所
名城公園駅
愛知学院大
名城公園
尼ヶ坂駅
名古屋城
清水駅
市立工芸高
トヨタ産業技術記念館 P.65
二之丸庭園
名古屋医療センター
東大手駅
浅間町駅
イオンモールNagoya Noritake Garden
レストラン キルン P.55
ノリタケの森 P.65
ノリタケミュージアム
白壁庁舎
金城学院高
名古屋城駅
名古屋市役所
愛知県庁
丸の内入口
東片端入口
東片端JCT
亀島駅
高岳駅
名古屋高岳局
のんき屋 P.30
丸の内駅
久屋大通駅
国際センター駅
中部電力 MIRAI TOWER
名古屋駅
名駅
名鉄名古屋駅
栄
栄町駅
オアシス21
新栄町駅
伏見駅
栄駅
近鉄名古屋駅
名駅入口
東新町入口
中村区
名古屋プリンスホテル スカイタワー
名古屋市科学館
中区
名古屋白山局
白川公園
グローバルゲート
米野駅
ささしまライブ駅
矢場町駅
名古屋東陽町局
名古屋中局
白川出入口
大須観音駅
大須観音
THE APARTMENT STORE P.95
大須
上前津駅
黄金出入口
中署
鶴舞駅
名古屋大病院
鶴舞公園
かいせい病院
クルーズ名古屋 P.97
東海道新幹線
Pâtisserie AZUR P.35
山王JCT
山王駅
不老園正光 P.37
名古屋高速都心環状線
鶴舞南JCT
中川区
東別院入口
東別院駅
名古屋洲原局
名鉄イン名古屋金山
名古屋白金局
ナゴヤ球場
尾頭橋駅
中央本線
名鉄名古屋本線
東海道本線
不朽園 P.36
金山
金山駅
アスナル金山
ANAクラウンプラザ ホテルグランコート名古屋
サイプレスガーデンH
名古屋工高
熱田区
三河安城駅へ
日比野駅・西高蔵駅へ
熱田駅・神宮前駅へ
堀田出入口へ

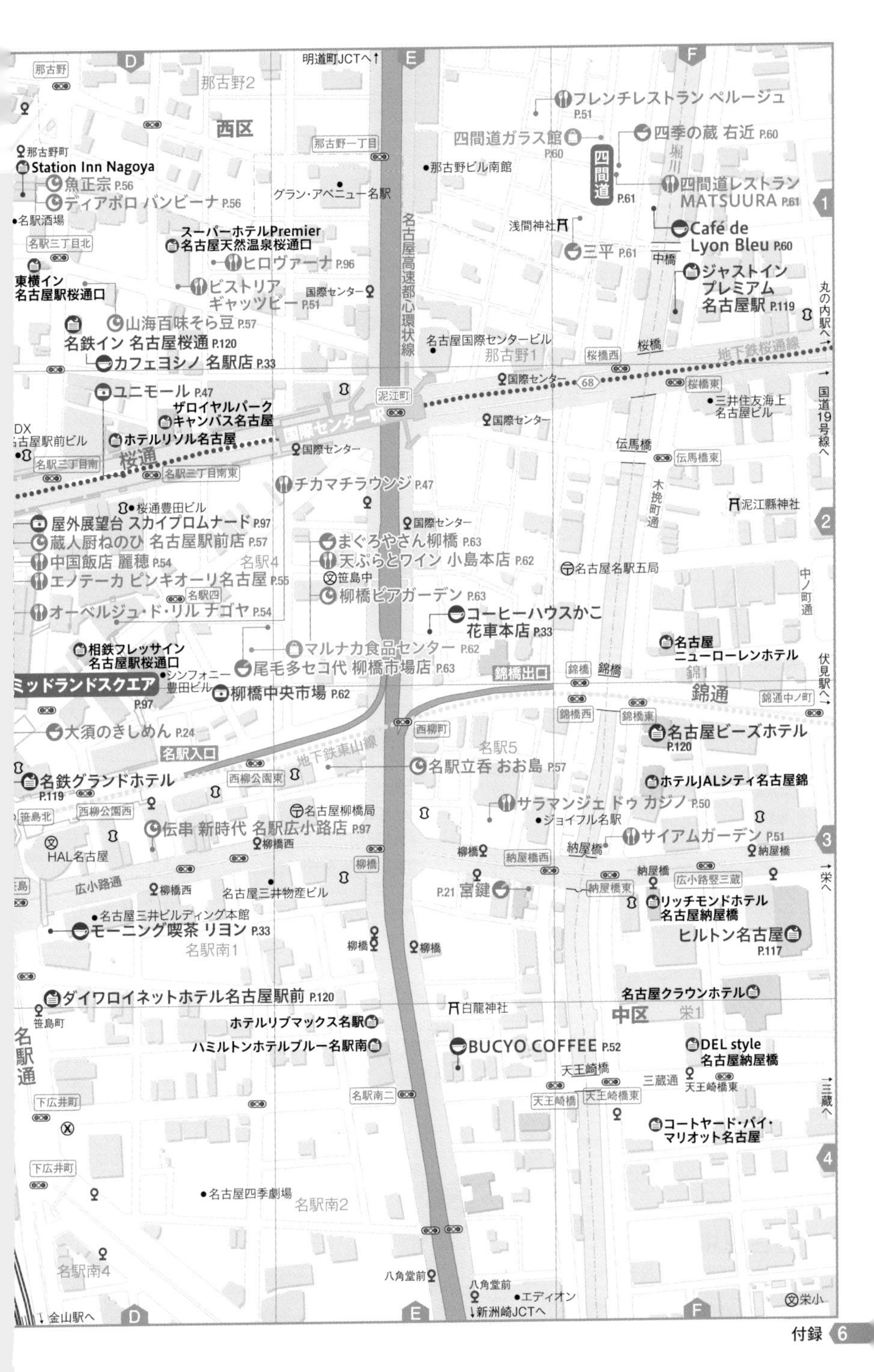
西区
那古野2
那古野
那古野町
Station Inn Nagoya
魚正宗 P.56
ディアボロ バンビーナ P.56
名駅酒場
名駅三丁目北
スーパーホテルPremier
名古屋天然温泉桜通口
ヒロヴァーナ P.96
東横イン
名古屋駅桜通口
ビストリア
ギャッツビー P.51
山海百味そら豆 P.57
名鉄イン 名古屋桜通 P.120
カフェヨシノ 名駅店 P.33
ユニモール P.47
ザロイヤルパーク
キャンバス名古屋
ホテルリソル名古屋
桜通
名駅三丁目南
名駅三丁目南東
国際センター駅
チカマチラウンジ P.47
桜通豊田ビル
屋外展望台 スカイプロムナード P.97
蔵人厨ねのひ 名古屋駅前店 P.57
中国飯店 麗穂 P.54
エノテーカ ピンキオーリ名古屋 P.55
オーベルジュ・ド・リル ナゴヤ P.54
名駅4
名駅四
相鉄フレッサイン
名古屋駅桜通口
ミッドランドスクエア P.97
シンフォニー豊田ビル
柳橋中央市場 P.62
大須のきしめん P.24
名駅入口
名鉄グランドホテル P.119
西柳公園東
西柳公園西
笹島北
伝串 新時代 名駅広小路店 P.97
HAL名古屋
広小路通
柳橋西
名古屋三井物産ビル
名古屋三井ビルディング本館
モーニング喫茶 リヨン P.33
名駅南1
ダイワロイネットホテル名古屋駅前 P.120
笹島町
名駅通
ホテルリブマックス名駅
ハミルトンホテルブルー名駅南
下広井町
名古屋四季劇場
名駅南2
名駅南4
金山駅へ
明道町JCTへ
那古野一丁目
那古野ビル南館
グラン・アベニュー名駅
名古屋高速都心環状線
国際センター
名古屋国際センタービル
那古野1
泥江町
まぐろやさん柳橋 P.63
天ぷらとワイン 小島本店 P.62
笹島中
柳橋ビアガーデン P.63
マルナカ食品センター P.62
尾毛多セコ代 柳橋市場店 P.63
西柳町
地下鉄東山線
名駅立呑 おお島 P.57
名古屋柳橋局
柳橋
名古屋柳橋局
名駅南二
八角堂前
新洲崎JCTへ
エディオン
フレンチレストラン ペルージュ P.51
四間道ガラス館 P.60
四季の蔵 右近 P.60
四間道 P.61
堀川
四間道レストラン MATSUURA P.61
浅間神社
三平 P.61
Café de Lyon Bleu P.60
中橋
ジャストイン プレミアム 名古屋駅 P.119
丸の内駅へ
桜橋西
桜橋
地下鉄桜通線
68
桜橋東
三井住友海上名古屋ビル
国道19号線へ
伝馬橋
伝馬橋東
木挽町通
泥江縣神社
名古屋名駅五局
中ノ町通
コーヒーハウスかこ 花車本店 P.33
名古屋ニューローレンホテル
錦橋出口
錦橋
錦1
錦通
錦通中ノ町
伏見駅へ
錦橋西
錦橋東
名古屋ビーズホテル P.120
名駅5
ホテルJALシティ名古屋錦
サラマンジェ ドゥ カジノ P.50
ジョイフル名駅
サイアムガーデン P.51
納屋橋
納屋橋西
納屋橋東
広小路竪三蔵
栄へ
宮鍵 P.21
リッチモンドホテル 名古屋納屋橋
ヒルトン名古屋 P.117
名古屋クラウンホテル
中区
栄1
白龍神社
BUCYO COFFEE P.52
DEL style 名古屋納屋橋
天王崎橋
三蔵通
天王崎橋東
三蔵へ
コートヤード・バイ・マリオット名古屋
栄小

名古屋駅周辺
100m
名古屋駅
P.120 リッチモンドホテル 名古屋新幹線口
スーパーホテル名古屋駅前
炭の湯ホテル
P.25 名代きしめん 住よし 新幹線上りホーム店
名鉄イン名古屋駅新幹線口
P.19 鳥開 総本家 名駅西口店
チサンイン名古屋
ダイワロイネット ホテル名古屋 新幹線口
ホテルプリズム
P.58 カフェ ド シエル
P.59 Wine Lounge & Restaurant Cépages
P.96 ジェイアール名古屋タカシマヤ
P.53 京甘味 文の助茶屋 名古屋店
P.116 名古屋マリオットアソシアホテル
P.59 スカイラウンジ ジーニス
P.55 フランス料理 ミクニナゴヤ
P.97 ぴよりんSTATION Cafe gentiane
三交イン名古屋新幹線口
三交イン名古屋新幹線口ANNEX
ビジネスホテル第1スターナゴヤ
エスカ P.46
P.19 風来坊 エスカ店
第一富士ホテル
P.22 山本屋本店 エスカ店
P.24 きしめんのよしだ エスカ店
P97 喫茶リッチ
P.28 海老どて食堂
和風ホテル一富久
ヴィアイン名古屋新幹線口
アパホテル名古屋駅前南
名古屋フラワーホテル PART2
ダイワロイネットホテル 名古屋太閤通口
ナゴヤ グランドホテル
名古屋フラワーホテル
名古屋 うまいもん通り P.47
P.58 THE ONE AND ONLY-NAGOYA-
Cafe Downey ゲートタワー店 P.53
サイプレスホテル名古屋駅前
ザサイプレス メルキュールホテル名古屋
P.96 中茂
JPタワー
KITTE名古屋 P.49
タカシマヤ ゲートタワーモール P.96
大名古屋ビルヂング P.48
JRゲートタワー
P.47 ゲートウォーク
JRセントラルタワーズ P.96
P.97 名鉄百貨店本店
P.53 キハチ カフェ
P.96 京都イオリカフェ
名鉄名古屋駅
近鉄名古屋駅
サンロード
名鉄メンズ館
ヤマダデンキ
P.118 ストリングスホテル名古屋
ホテルパレス名古屋
名古屋セントラル病院
中村区
名古屋ルーセントタワー
名古屋駅バスターミナル
タカシマヤ
ビックカメラ
側島第一ノリタケビル
名古屋中村税務署
中村年金事務所
マックスバリュ
中村署
厳島神社
観音寺
水野社
牧野小
太閤通
地下鉄桜通線
地下鉄東山線
東海道新幹線
名鉄名古屋本線
JR東海道本線・中央本線
近鉄名古屋線
岐阜羽島駅へ
枇杷島駅へ
栄生駅へ
亀島駅へ
太閤通駅へ
大治へ
米野駅へ
八田駅へ
三河安城駅へ
牛島町
亀島2
則武1
則武2
名駅1
名駅2
名駅3
竹橋町
椿町
太閤1
太閤3
太閤4
太閤5
牧野町2
牧野町3
下広井町1
則武一丁目
タワーズ北
中央郵便局北
中央郵便局
太閤通口
名古屋駅(太閤通口)
椿神社前
椿町北
笈瀬通
太閤三南
近鉄駅
鷹羽町
則武町
笹島町
牧野町

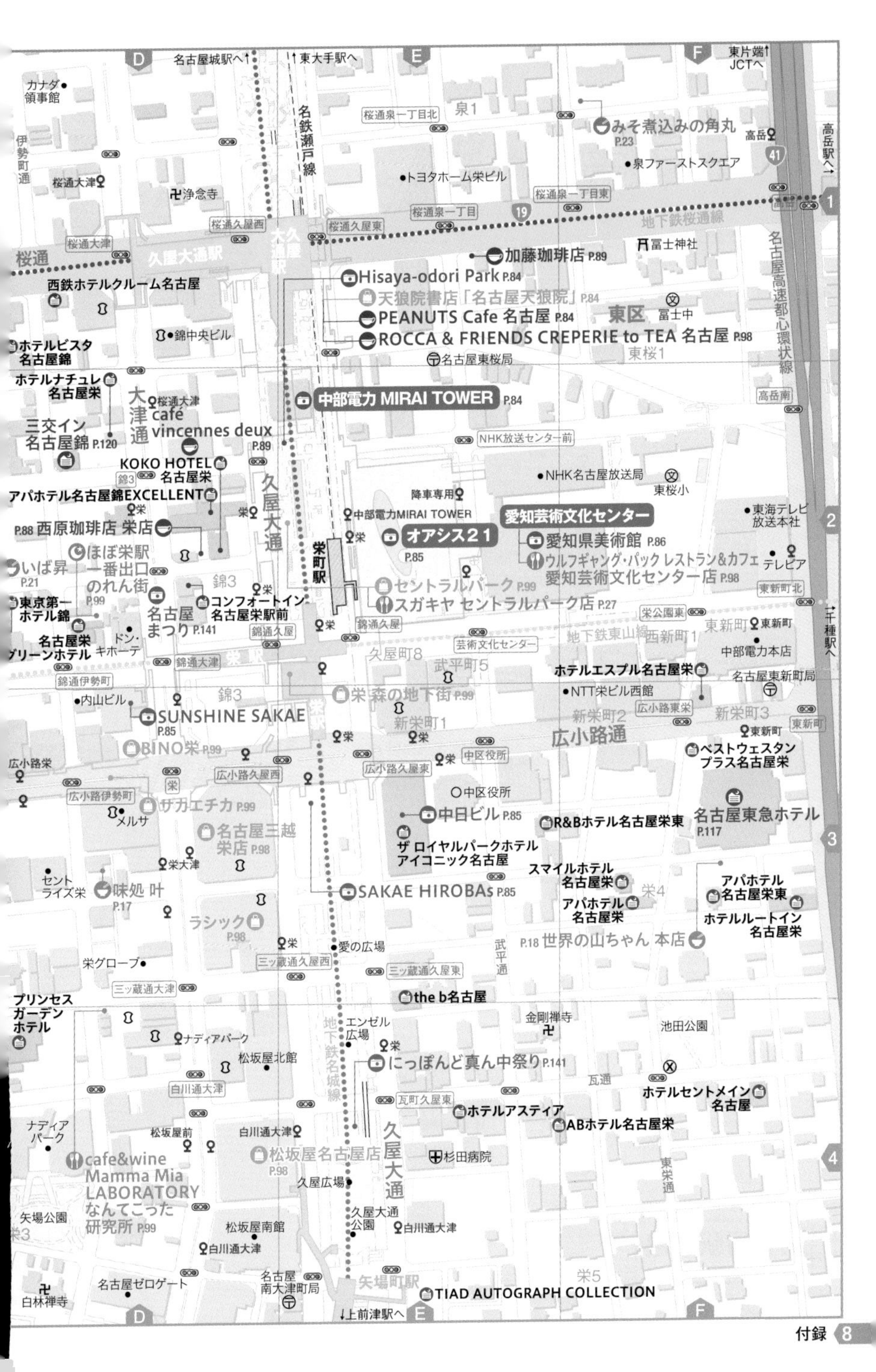

名古屋城駅へ
東大手駅へ
東片端JCTへ
カナダ領事館
名鉄瀬戸線
桜通泉一丁目北
泉1
みそ煮込みの角丸 P.23
高岳
伊勢町通
高岳駅へ
桜通大津
浄念寺
トヨタホーム栄ビル
泉ファーストスクエア
桜通泉一丁目東
桜通久屋西
桜通久屋東
桜通泉一丁目
地下鉄桜通線
桜通大津
桜通
久屋大通駅
加藤珈琲店 P.89
冨士神社
名古屋高速都心環状線
西鉄ホテルクルーム名古屋
Hisaya-odori Park P.84
天狼院書店「名古屋天狼院」P.84
東区
冨士中
PEANUTS Cafe 名古屋 P.84
錦中央ビル
ROCCA & FRIENDS CREPERIE to TEA 名古屋 P.98
ホテルビスタ名古屋錦
名古屋東桜局
東桜1
ホテルナチュレ名古屋栄
桜通大津
中部電力 MIRAI TOWER P.84
高岳南
大津通
café vincennes deux P.89
三交イン名古屋錦 P.120
NHK放送センター前
KOKO HOTEL名古屋栄
錦3
NHK名古屋放送局
東桜小
アパホテル名古屋錦EXCELLENT
降車専用
久屋大通
栄
中部電力MIRAI TOWER
東海テレビ放送本社
愛知芸術文化センター
P.88 西原珈琲店 栄店
オアシス21 P.85
愛知県美術館 P.86
ほぼ栄駅一番出口のれん街 P.99
ウルフギャング・パック レストラン&カフェ 愛知芸術文化センター店 P.98
テレピア
いば昇 P.21
錦3
栄町駅
セントラルパーク P.99
東新町北
東京第一ホテル錦
名古屋まつり P.141
コンフォートイン名古屋栄駅前
スガキヤ セントラルパーク店 P.27
栄公園東
名古屋栄グリーンホテル
ドン・キホーテ
錦通久屋
錦通久屋
地下鉄東山線
西新町1
東新町
中部電力本店
錦通大津
久屋町8
芸術文化センター
千種駅へ
錦通伊勢町
武平町5
ホテルエスプル名古屋栄
名古屋東新町局
内山ビル
錦3
栄 森の地下街 P.99
NTT栄ビル西館
SUNSHINE SAKAE P.85
新栄町1
新栄町2
広小路東栄
新栄町3
BINO栄 P.99
広小路通
東新町
広小路栄
広小路久屋西
広小路久屋東
中区役所
ベストウェスタンプラス名古屋栄
広小路伊勢町
サカエチカ P.99
メルサ
中区役所
名古屋三越栄店 P.98
中日ビル P.85
R&Bホテル名古屋栄東
名古屋東急ホテル P.117
ザ ロイヤルパークホテル アイコニック名古屋
栄大津
セントライズ栄
味処 叶 P.17
スマイルホテル名古屋栄
栄4
アパホテル名古屋栄東
SAKAE HIROBAs P.85
アパホテル名古屋栄
ホテルルートイン名古屋栄
ラシック P.98
P.18 世界の山ちゃん 本店
武平通
栄
愛の広場
栄グローブ
三ツ蔵通久屋西
三ツ蔵通久屋東
三ツ蔵通大津
the b名古屋
プリンセスガーデンホテル
金剛禅寺
池田公園
ナディアパーク
エンゼル広場
地下鉄名城線
松坂屋北館
にっぽんど真ん中祭り P.141
瓦通
白川通大津
瓦町久屋東
ホテルセントメイン名古屋
ホテルアスティア
ABホテル名古屋栄
ナディアパーク
松坂屋前
白川通大津
松坂屋名古屋店 P.98
久屋大通
杉田病院
cafe&wine Mamma Mia LABORATORY なんてこった研究所 P.99
東栄通
久屋広場
矢場公園
松坂屋南館
久屋大通公園
白川通大津
白川通大津
栄5
名古屋ゼロゲート
名古屋南大津町局
矢場町駅
TIAD AUTOGRAPH COLLECTION
白林禅寺
上前津駅へ
D
E
F
1
2
3
4
19
41

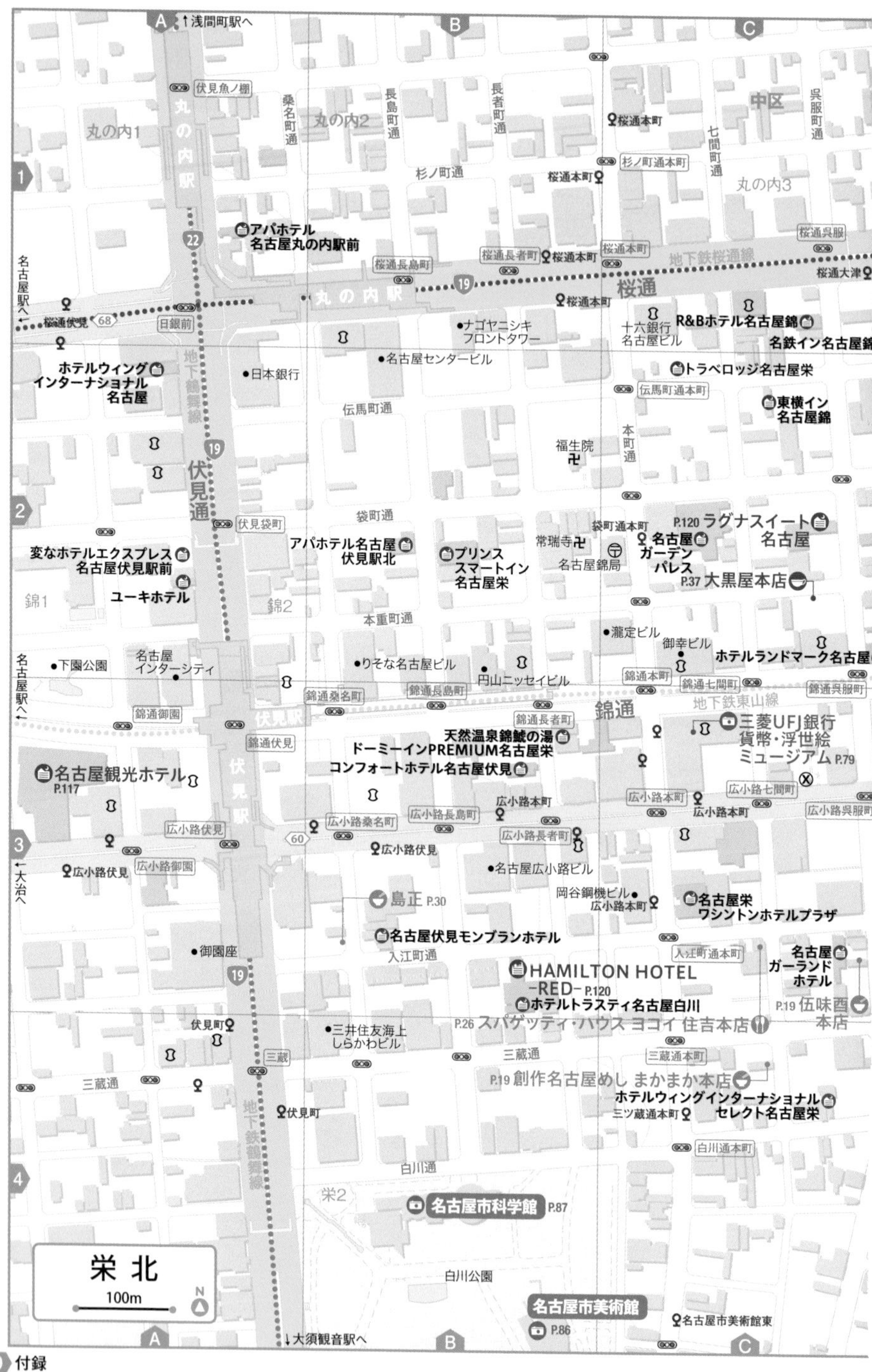

栄北
100m
N
↑浅間町駅へ
↓大須観音駅へ
名古屋駅へ
←大治へ
丸の内駅
伏見駅
伏見通
桜通
錦通
地下鉄桜通線
地下鉄東山線
地下鉄鶴舞線
中区
丸の内1
丸の内2
丸の内3
錦1
錦2
栄2
桑名町通
長島町通
長者町通
七間町通
呉服町通
本町通
杉ノ町通
伝馬町通
袋町通
本重町通
入江町通
三蔵通
白川通
伏見魚ノ棚
杉ノ町通本町
桜通呉服
桜通長者町
桜通本町
桜通長島町
桜通大津
桜通伏見
日銀前
伝馬町通本町
伏見袋町
袋町通本町
錦通本町
錦通七間町
錦通呉服町
錦通桑名町
錦通長島町
錦通御園
錦通長者町
錦通伏見
広小路本町
広小路七間町
広小路呉服町
広小路伏見
広小路桑名町
広小路長島町
広小路長者町
広小路御園
入江町通本町
三蔵通本町
三蔵
白川通本町
三ツ蔵通本町
伏見町
名古屋市美術館東
アパホテル名古屋丸の内駅前
ナゴヤニシキフロントタワー
十六銀行名古屋ビル
R&Bホテル名古屋錦
名鉄イン名古屋錦
トラベロッジ名古屋栄
ホテルウィングインターナショナル名古屋
日本銀行
名古屋センタービル
東横イン名古屋錦
福生院
常瑞寺
名古屋錦局
P.120 ラグナスイート名古屋
名古屋ガーデンパレス
P.37 大黒屋本店
変なホテルエクスプレス名古屋伏見駅前
ユーキホテル
アパホテル名古屋伏見駅北
プリンススマートイン名古屋栄
瀧定ビル
御幸ビル
ホテルランドマーク名古屋
下園公園
名古屋インターシティ
りそな名古屋ビル
円山ニッセイビル
三菱UFJ銀行貨幣・浮世絵ミュージアム P.79
天然温泉錦鯱の湯
ドーミーインPREMIUM名古屋栄
コンフォートホテル名古屋伏見
名古屋観光ホテル P.117
名古屋広小路ビル
岡谷鋼機ビル
名古屋栄ワシントンホテルプラザ
島正 P.30
名古屋伏見モンブランホテル
御園座
HAMILTON HOTEL -RED- P.120
ホテルトラスティ名古屋白川
名古屋ガーランドホテル
P.19 伍味酉本店
P.26 スパゲッティ・ハウス ヨコイ 住吉本店
三井住友海上しらかわビル
P.19 創作名古屋めし まかまか本店
ホテルウィングインターナショナルセレクト名古屋栄
名古屋市科学館 P.87
白川公園
名古屋市美術館 P.86

パルコ西館
パルコ東館
↑栄駅へ
矢場町駅
矢場町
パルコ南館
大津通
矢場町
久屋大通
武平通
栄5
徳照寺
東栄通
若宮大通久屋
名古屋栄分院
萬福院
堀留
栄5
丸田町
矢場とん
矢場町本店
P.16
南大津通
若宮大通
千代田1
→丸太町JCTへ
大須3
第一三共東海ビル
久屋大通庭園フラリエ
堀留水処理センター
中土木事務所
老松小
マンハッタン
ロールアイスクリーム
名古屋大須店 P.91
ダブルトールカフェ名古屋 P.98
赤門
赤門東
西川端通
東川端通
千代田1
第一
アメ横ビル
めいふつ天むす 千寿本店 P.29
前津中
舞鶴橋
舞鶴橋西
舞鶴橋東
老松公園
ジムノペディア2号店
P.94
万松寺ビル
NTT上前津ビル
大須4
新堀川
OSU301
上前津
万松寺
万松寺東
上前津
今日実
P.95
鶉橋西
鶉橋
鶉橋東
善勝寺
福恩寺
春日神社
名古屋
上前津局
上前津駅
長松院
上前津
上前津東
千代田2
記念橋
中署
エスティメゾン鶴舞
大池町
名銀上前津ビル
記念橋西
記念橋東
中警察署
千代田
大須通
旅館名龍
上前津2
ナゴヤセンタータワー
→鶴舞駅へ
大津通
地下鉄名城線
前津通
西川端通
東川端通
乗円寺
千代田通
とんかつの
とん八 P.17
福信ビル
千代田3
下前津
下前津東
宇津木橋
宇津木橋西
宇津木橋東
前津
ホテルルートイン名古屋東別院
名古屋
七本松局
日本福祉大学
中央福祉専門学校
鶴舞年金事務所
OMCビル
富士見町
千代田4
ブランシエール
鶴舞公園
中央本線
→鶴舞駅へ
七本松
↙金山駅へ
東別院駅へ↓

栄南・大須
100m
N
A
B
C
1
2
3
4
仲ノ町公園
伏見駅へ↑
JPR名古屋伏見ビル
白川公園
名古屋市美術館 P.86
本町通
カームアートビル
若宮八幡宮
栄1
栄2
19
若宮北
白川公園
若宮大通
若宮大通本町
若宮
栄3
名古屋高速2号東山線
←新洲崎JCTへ
白川
若宮南
白川公園
若宮大通本町
若宮
大須3
日出神社
阿弥陀寺
名古屋中局
Candle shop kinari P.92
裏門前町通
萬年寺
大須2
花園通
常盤通
eric-life/ cafe molly P.99
大光院
赤門通本町
P.32 コンパル 大須本店
P.32 リオン 菓子店
北野神社
陽秀院
赤門通
赤門通
大須観音通
大須観音駅
大須1
大須観音 骨董蚤の市 P.95
門前町通
中区
Dt.BLD
P.99 大須シネマ
大須観音 P.90
CAFE CEREZA P.88
西大須公園
大須小
P.23 にこみのたから
大須本町通
コメ兵本館
大須観音
大須観音通
モノコト P.93
光勝院
富士浅間神社
ホテルアベスト大須観音駅前
万松寺通本町
万松寺通
万松寺 P.78
P.90 青柳総本家 大須本店
仁王門通
大須3
善光寺
仁王門通本町
←水主町交差点へ
西大須
P.90 PEU・CONNU
P.91 李さんの台湾名物屋台本店
東仁王門通
とんちゃんや ふじ P.31
P.94 Archer
西大須
大須
P.91 ふれあい広場「大須案内人」
松原1
大須
大須通
地下鉄鶴舞線
裏門前町
上前津
大須
西本願寺別院
門前町
金仙寺
天寧寺
THE SHOP 十二ヵ月 P.92
上前津1
法然寺
龍雲寺
伏見通
全香寺
門前町
来迎寺
松原2
重工大須病院
ガトー・デュラ・メール・スリアン P.35
日置神社
橘町
下前津
松原二丁目
ヤマナカ
橘1
梅香院
長栄寺
松原小
松原
橘小
名古屋橘局
橘町
栄国寺
松原3
橘AKビル
松原公園
橘2
橘町大木戸
橘公園
熱田神宮へ↓
真宗大谷派 名古屋別院

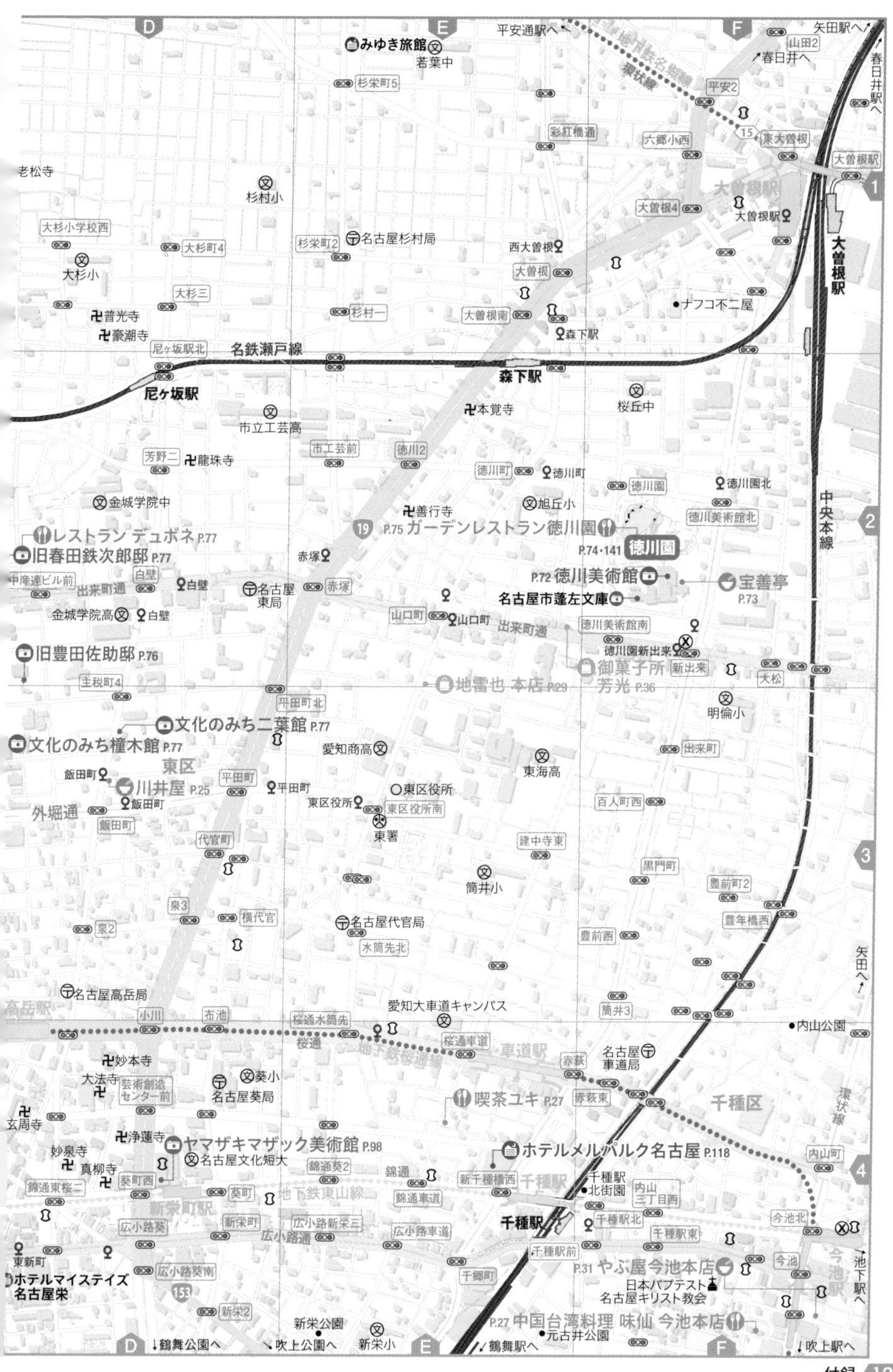

みゆき旅館
若葉中
平安通駅へ
地下鉄名城線
環状線
矢田駅へ
春日井へ
春日井駅へ
大曽根駅
大曽根
名鉄瀬戸線
尼ヶ坂駅
森下駅
老松寺
杉村小
大杉小
普光寺
豪潮寺
名古屋杉村局
ナフコ不二屋
本覚寺
桜丘中
市立工芸高
龍珠寺
金城学院中
善行寺
旭丘小
レストラン デュボネ P.77
旧春田鉄次郎邸 P.77
P.75 ガーデンレストラン徳川園
P.74・141 徳川園
P.72 徳川美術館
宝善亭 P.73
名古屋市蓬左文庫
名古屋東局
出来町通
金城学院高
旧豊田佐助邸 P.76
地雷也 本店 P.29
御菓子所 芳光 P.36
明倫小
中央本線
文化のみち二葉館 P.77
文化のみち橦木館 P.77
東区
愛知商高
東海高
川井屋 P.25
東区役所
東署
外堀通
筒井小
名古屋代官局
名古屋高岳局
高岳駅
愛知大車道キャンパス
桜通
地下鉄桜通線
車道駅
名古屋車道局
内山公園
妙本寺
大法寺
葵小
名古屋葵局
喫茶ユキ P.27
千種区
玄周寺
浄蓮寺
ヤマザキマザック美術館 P.98
名古屋文化短大
妙泉寺
真柳寺
ホテルメルパルク名古屋 P.118
錦通
地下鉄東山線
新栄町駅
千種駅
広小路通
P.31 やぶ屋今池本店
日本バプテスト名古屋キリスト教会
今池駅
池下駅へ
ホテルマイステイズ名古屋栄
新栄公園
新栄小
P.27 中国台湾料理 味仙 今池本店
元古井公園
鶴舞公園へ
吹上公園へ
鶴舞駅へ
吹上駅へ
矢田へ

名古屋城・徳川園
200m
名古屋城 P.68・78・141
名城公園 P.141
金シャチ横丁 義直ゾーン P.71
P.71 金シャチ横丁 宗春ゾーン
名古屋市市政資料館 P.76
旧豊田家の門・塀 P.76
P.87 あいち国際女性映画祭
ウィルあいち
KKRホテル名古屋
うなぎ・和食 しら河 浄心本店 P.21
はね海老 P.28
美濃忠 P.37
garelly+cafe blanka P.52
中部電力 MIRAI TOWER
オアシス21
付録P6-7
付録P8-9
名城公園駅
名古屋城駅
清水駅
東大手駅
丸の内駅
久屋大通駅
伏見駅
栄町駅
栄駅
西区
北区
中区
カトリック城北橋教会
多奈波太神社
生命神宮
七尾天神社
那古野神社
富士神社
大師寺
常照寺
明導寺
豊鶴院
西光寺
開闡寺
太子寺
清瀧寺
上名古屋小
八王子中
清水小
城西小
愛知学院大
明和高
北区役所
名古屋北税務署
名城公園フラワープラザ
二之丸庭園
名古屋医療センター
名古屋市役所
愛知県庁
愛知県白壁庁舎
名古屋中税務署
名古屋能楽堂
名城病院
名古屋家庭裁判所
愛知県図書館
名古屋景雲橋局
日本銀行
名古屋錦局
名古屋東桜局
中区役所
栄バスターミナル
第二富士ホテ
外堀通
出来町通
大津通
久屋大通
伏見通
本町通
桜通
錦通
広小路通
伝馬町通
袋町通
堀川
地下鉄名城線
地下鉄桜通線
地下鉄鶴舞線
地下鉄東山線
1号楠線 名古屋高速
都心環状線 名古屋高速
黒川駅へ
楠JCTへ
清洲JCTへ
浅間町駅へ
明道町JCTへ
名古屋駅へ
大須観音駅へ
矢場町駅へ
丸田町JCTへ
東片端JCT

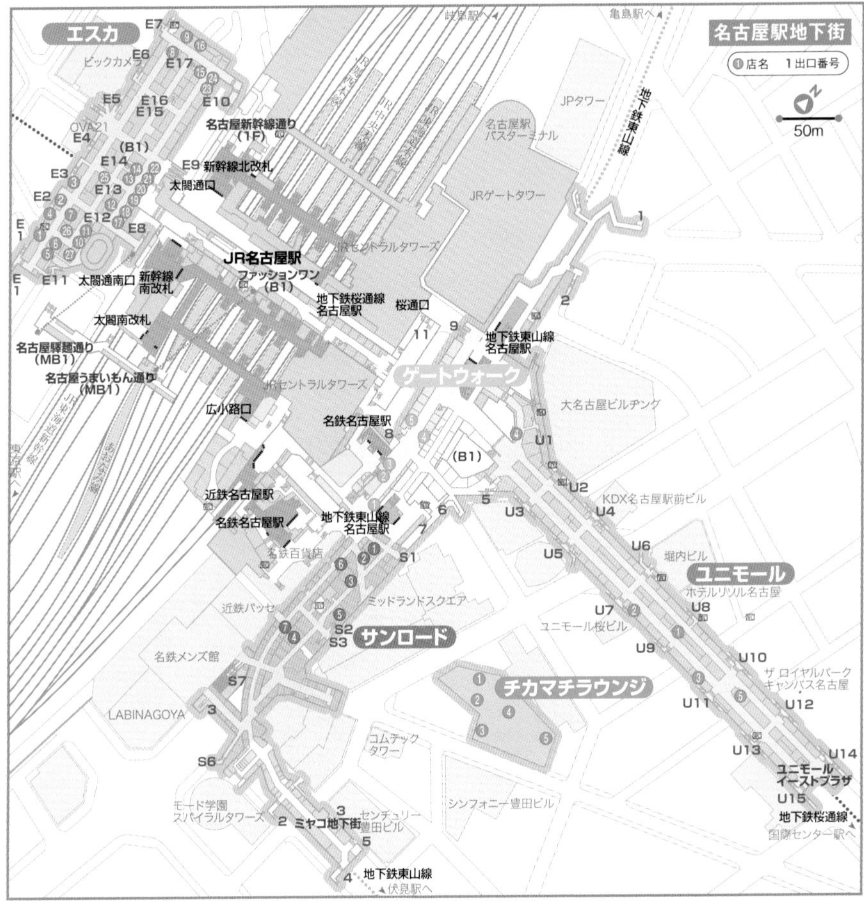

エスカ

- ❶ 四川酒家 想吃担担面(担々麺)
- ❷ よし川(和食)
- ❸ 鈴波(魚介味淋粕漬)
- ❹ 元祖めいふつ天むす 千寿本店(天むす)
- ❺ 珍串(串揚げ)
- ❻ なごやめん処 やぶ福(めん処)
- ❼ 山本屋本店(味噌煮込みうどん)
- ❽ 若鯱家(カレーうどん)
- ❾ 矢場とん(味噌カツ)
- ❿ 忠助(食事処)
- ⓫ ひつまぶし名古屋 備長(ひつまぶし)
- ⓬ コメダ珈琲店(喫茶)
- ⓭ 両口屋是清(和菓子)
- ⓮ 青柳ういろう(ういろう)
- ⓯ きしめん亭(きしめん)
- ⓰ 喫茶リッチ(喫茶)
- ⓱ 味噌煮込山本屋本店 エスカ売店(味噌煮込土産)
- ⓲ ヤマサちくわ(ちくわ)
- ⓳ せんどろ名古屋(ラーメン)
- ⓴ サブウェイ(サンドイッチ)
- ㉑ ダフネ珈琲館(カフェ)
- ㉒ 大和屋守口漬総本家(漬物)
- ㉓ ひつまぶし稲生(ひつまぶし)
- ㉔ 双葉(味噌カツ)
- ㉕ なごみゃ(なごや魅力発信ショップ)
- ㉖ きしめん よしだ(きしめん)
- ㉗ 風来坊(手羽先)

ゲートウォーク

- ❶ ハンズゲート ショップ(ハンズアンテナショップ)
- ❷ カスカード(ベーカリー)
- ❸ ディッパーダン(クレープ)
- ❹ ロペピクニック(ファッション)
- ❺ カルディコーヒーファーム(輸入食品)

サンロード

- ❶ ドトールコーヒー(カフェ)
- ❷ 妙香園(茶)
- ❸ リンツ ショコラ ブティック(チョコレート)
- ❹ カレーハウス CoCo壱番屋(カレー)
- ❺ 丸亀製麺(うどん)
- ❻ えびせん○(えびせん)
- ❼ おつけもの 松永(漬物)

チカマチラウンジ

- ❶ Café&Bar il Bamboccio(イタリアン)
- ❷ Beer Bar Ma Maison(洋食)
- ❸ 竜むら(和食)
- ❹ 板バ酒バ魚(小料理酒場)
- ❺ まるは食堂(和食)

ユニモール

- ❶ コメダ珈琲店(喫茶)
- ❷ 東京純豆腐(ズンドゥブ・チゲ)
- ❸ おらが蕎麦(そば)
- ❹ 御月見堂(ライフグッズ)
- ❺ 星乃珈琲店(喫茶)

名古屋駅地下街 主要ショップ & レストランリスト

ココミル cocomiru 名古屋

中部④

2024年7月15日初版印刷
2024年8月1日初版発行

編集人：眞野邦生
発行人：盛崎宏行
発行所：JTBパブリッシング
〒135-8165
東京都江東区豊洲5-6-36　豊洲プライムスクエア11階

編集・制作：情報メディア編集部
編集デスク：大澤由美子
取材・編集：K&Bパブリッシャーズ／
エヌツー（川本桂子／小野剛志／植村晶子）／クエストルーム／
鈴木ひろみ／河野好美／豊川大／森沢直人／中村あずさ／
小川浩之／桃青社／石崎幸子

アートディレクション：APRIL FOOL Inc.
表紙デザイン：APRIL FOOL Inc.
本文デザイン：APRIL FOOL,Inc ／ plastac ／片桐カズミ／
東画コーポレーション（三沢智広）
イラスト：平澤まりこ
撮影・写真：伊藤卓哉／高木茂樹／森沢直人／豊川大／
新井亮／関係各市町村観光課・観光協会／ PIXTA ／
アフロ（michio yamauchi ／ Robert Harding）
地図：ゼンリン／ジェイ・マップ／千秋社
組版・印刷所：TOPPANクロレ

編集内容や、商品の乱丁・落丁の
お問合せはこちら

JTB パブリッシング お問合せ

https://jtbpublishing.co.jp/contact/service/

本書に掲載した地図は以下を使用しています。
測量法に基づく国土地理院長承認（使用）R 5JHs 167-273号
測量法に基づく国土地理院長承認（使用）R 5JHs 168-112号

●本書掲載のデータは2024年5月末日現在のものです。発行後に、料金、営業時間、定休日、メニュー等の営業内容が変更になることや、臨時休業等で利用できない場合があります。また、各種データを含めた掲載内容の正確性には万全を期しておりますが、お出かけの際には電話等で事前に確認・予約されることをお勧めいたします。なお、本書に掲載された内容による損害賠償等は、弊社では保障いたしかねますので、予めご了承くださいますようお願いいたします。●本書掲載の商品は一例です。売り切れや変更の場合もありますので、ご了承ください。●本書掲載の料金は消費税込みの料金ですが、変更されることがありますので、ご利用の際はご注意ください。入園料などで特記のないものは大人料金です。●定休日は、年末年始・お盆休み・ゴールデンウィークを省略しています。●本書掲載の利用時間は、特記以外原則として開店（館）～閉店（館）です。オーダーストップや入店（館）時間は通常閉店（館）時刻の30分～1時間前ですのでご注意ください。●本書掲載の交通表記における所要時間はあくまでも目安ですのでご注意ください。●本書掲載の宿泊料金は、原則としてシングル・ツインは1室あたりの室料です。1泊2食、1泊朝食、素泊に関しては、1室2名で宿泊した場合の1名料金です。料金は消費税、サービス料込みで掲載しています。季節や人数によって変動しますので、お気をつけください。●本誌掲載の温泉の泉質・効能等は、各施設からの回答をもとに原稿を作成しています。

本書の取材・執筆にあたり、
ご協力いただきました関係各位に厚くお礼申し上げます。

おでかけ情報満載　https://rurubu.jp/andmore/

243213　280112
ISBN978-4-533-15960-2　C2026

2408